So schön ist
Schleswig-Holstein

Sachbuchverlag Karin Mader

Inhalt

Fotos: Martin Mader
Seite 6, 27 + 144: Bernd Schlüsselburg
Seite 136 + 140: Jost Schilgen
Text: Hermann Gutmann
Karte: Gerold Paulus
Übersetzungen:
Englisch: Michael Meadows
Französisch: Mireille Patel

© Sachbuchverlag Karin Mader
D-28879 Grasberg

Grasberg 1998
Alle Rechte, auch auszugsweise, vorbehalten.

Printed in Germany

ISBN 3-921957-89-3

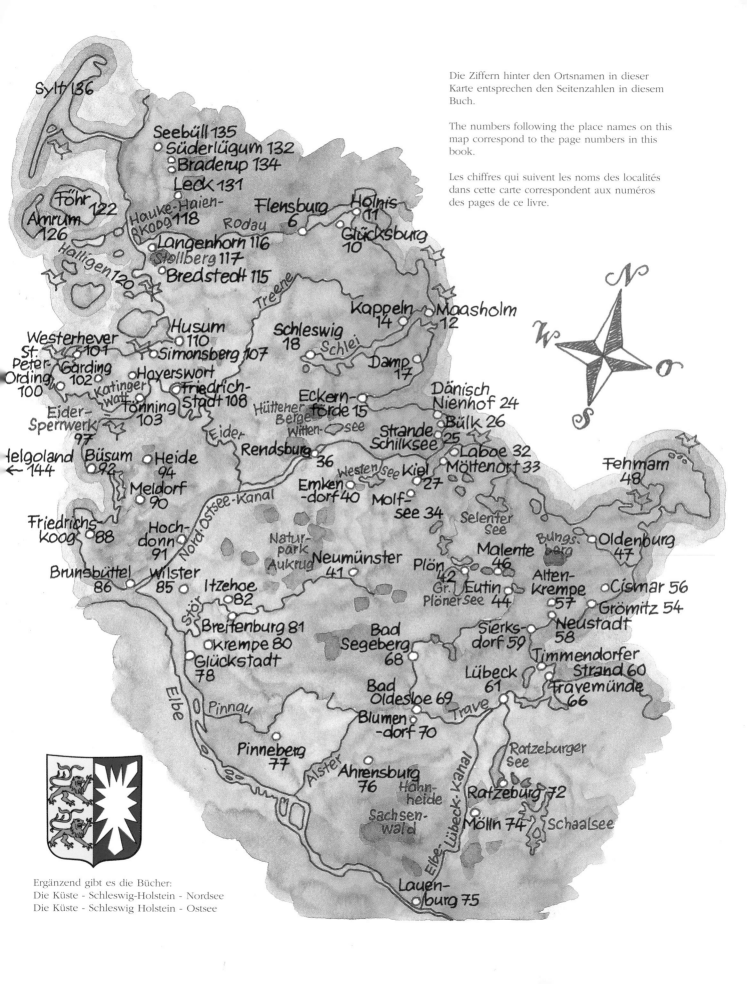

Sylt 136

Seebüll 135
Süderlügum 132
Braderup 134
Leck 131
Föhr 122
Hauke-Haien-Koog 118
Amrum 126
Rodau
Flensburg 6
Holnis 11
Glücksburg 10
Langenhorn 116
Halligen 120
Stollberg 117
Bredstedt 115

Die Ziffern hinter den Ortsnamen in dieser Karte entsprechen den Seitenzahlen in diesem Buch.

The numbers following the place names on this map correspond to the page numbers in this book.

Les chiffres qui suivent les noms des localités dans cette carte correspondent aux numéros des pages de ce livre.

Treene
Kappeln 14
Maasholm 12
Husum 110
Schleswig 18
Schlei
Damp 17
Westerhever 107
St. Peter-Ording 100
Garding 102
Simonsberg 107
Hayerswort
Dänisch Nienhof 24
Friedrich-stadt 108
Eckern-förde 15
Bülk 26
Katinger Watt
Hüttener Berge
Strande 25
Schilksee
Eider
Witten-See
Tönning 103
Eider-Sperrwerk 97
Rendsburg 36
Laboe 32
Westensee
Möltenort 33
Helgoland 144
Büsum 92
Heide 94
Kiel 27
Fehmarn 48
Meldorf 90
Emken-dorf 40
Molf-see 34
Seleriter See
Friedrichs-koog 88
Hoch-donn 91
Nord-Ostsee-Kanal
Naturpark Aukrug
Neumünster 41
Plön 42
Malente 46
Bungs-berg
Oldenburg 47
Brunsbüttel 86
Wilster 85
Eutin
Altenkrempe 57
Cismar 56
Itzehoe 82
Bad Segeberg 68
Gr. Plönersee 44
Grömitz 54
Stör
Breitenburg 81
Sierks-dorf 59
Neustadt 58
Krempe 80
Glückstadt 78
Timmendorfer Strand 60
Bad Oldesloe 69
Lübeck 61
Travemünde 66
Elbe
Pinnau
Blumen-dorf 70
Trave
Pinneberg 77
Ratzeburger See
Alster
Ahrensburg 76
Hahn-heide
Ratzeburg 72
Sachsen-wald
Elbe-Lübeck-Kanal
Mölln 74
Schaalsee
Lauen-burg 75

Ergänzend gibt es die Bücher:
Die Küste - Schleswig-Holstein - Nordsee
Die Küste - Schleswig Holstein - Ostsee

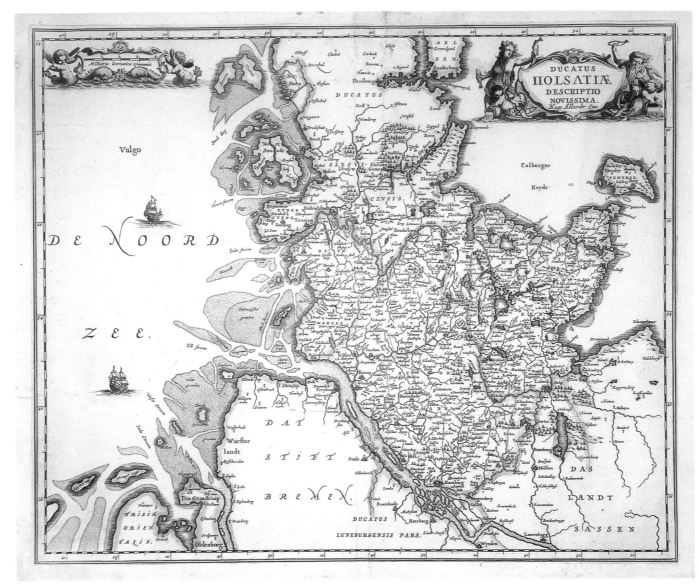

Schleswig-Holstein im 17. Jahrhundert

Was die Geschichte Schleswig-Holsteins angeht – darauf soll dieses Buch keine grundsätzliche Antwort geben. Wissen Sie, der britische Staatsmann Lord Palmerston hat über die Geschichte des Landes schon im Jahre 1864 gesagt, es gäbe nur drei Männer, die sie überblickten. Der eine sei der britische Prinzgemahl Albert – der sei aber schon 1861 gestorben, der andere sei ein deutscher Professor, der darüber bedauerlicherweise wahnsinnig geworden sei, und der dritte sei er selbst, Lord Palmerston, doch er – habe sie vergessen.

Halten wir uns an das, was zu sehen ist: An die Schönheit des Landes zwischen Nord- und Ostsee, wobei wir, wenn es sich ergibt, auch an der Geschichte nicht achtlos vorbeigehen wollen.

Schleswig-Holstein, seit 1460 „op ewig ungedelt" (ein Schwur, der immer wieder gebrochen wurde), gehört zu den reizvollsten Landschaften unserer Republik.

Im Osten des „meerumschlungenen" Landes finden wir eine hügelige Welt, die uns die Gletscher der Eiszeit hinterlassen haben. Die Ostsee greift mit breiten Buchten und schmalen Förden tief in das Land ein. Im Südosten liegt die Holsteinische Schweiz mit ihren Wäldern und Seen.

Auf das östliche Hügelland folgt nach Westen hin die Geest. Die dritte Landschaftszone aber ist die Marsch im Westen, ist die Nordseeküste mit ihren Deichen, mit ihren Inseln und Halligen, mit ihren Eindeichungen und mit dem Watt, eine der großen Naturlandschaften der Welt.

Die wichtigen und geschichtsträchtigen Städte liegen im Osten: Flensburg, Schleswig, Kiel, Lübeck. Die schleswig-holsteinische Ostseeküste lädt fast in ihrer vollen Länge zum Baden ein. An der raueren Nordsee sind es vor allem die Inseln – Sylt, Amrum, Föhr, Helgoland –, wo man sich erholen kann.

Schleswig-Holstein – ein Ferienland.

As far as the history of Schleswig-Holstein is concerned, this book does not provide any basic insights. As the British statesman, Lord Palmerston, said about his country's history in 1864, there were only three men who had a comprehensive understanding of it. The first was the British prince consort, Albert, who had already died in 1861; the second was a German professor who had regrettably gone crazy because of it; and the third was he himself, Lord Palmerston – but he had forgotten it.

Let's stick to what the eye can see: the beauty of the region between the North and the Baltic Sea, though we will not ignore history when we cross its path.

Schleswig-Holstein, since 1460 "op ewig ungedelt" (forever undivided – an oath that is repeatedly broken), has some of the loveliest countryside in our republic.

In the eastern section of the federal state "embraced by the sea", we find a hilly world left behind by the glaciers of the ice age. The Baltic Sea reaches deep into the mainland with broad bays and narrow fiords. In the southeast is the so-called Holsteinische Schweiz with its forests and lakes.

To the west of the hilly country in the east lies the "Geest", coastal sandy moorlands. The third landscape zone is the marshland in the west, the North Sea coast with its dikes and islands, with its embankments and the wadden seas, one of the largest natural landscapes in the world.

The major historical towns are in the east: Flensburg, Schleswig, Kiel, Lübeck. Nearly the entire length of Schleswig-Holstein's Baltic Sea coast offers inviting spots for swimming. On the rougher North Sea, the islands – Sylt, Amrum, Föhr, Helgoland – are the main recreational centers.

Schleswig-Holstein – a vacation region.

Ce livre n'a pas pour but de se consacrer à l'histoire du Schleswig-Holstein. L'homme d'état anglais, Lord Palmerston, déclara en 1864 qu'il n'y avait que trois hommes qui soient compétents en la matière: le premier, le prince consort Albert, était mort depuis 1861, le deuxième, un professeur allemand, était devenu fou en l'étudiant et lui-même, Lord Palmerston, était le troisième mais il l'avait oubliée!

Limitons-nous à ce que l'on peut voir, à la beauté du pays entre la mer du Nord et la mer Baltique mais, ce faisant, nous ne manquerons pas, non plus, d'accorder un peu d'attention à l'histoire.

Le Schleswig-Holstein, depuis 1460 „op ewig ungedelt" (un serment qui fut souvent rompu), offre des paysages parmi les plus attirants de notre république.

A l'est du pays „enlacé par la mer" nous trouvons une région de collines façonnées par les glaciers de la préhistoire. La mer Baltique pénètre profondément à l'intérieur des terres avec de vastes baies et des bras de mer étroits. Au sud-est, la Suisse du Holstein est une région de forêts et de lacs. Les collines de l'est font place, à l'ouest, à la „Geest". Le „Marsch", la côte de la mer du Nord, à l'ouest, avec ses digues, ses îles et les Halligen, ses terres endiguées et le „Watt", l'un des plus vastes paysages naturels au monde, constitue une troisième zone de paysages.

Les villes les plus importantes et les plus chargées d'histoire se trouvent à l'est: Flensburg, Schleswig, Kiel, Lübeck. La côte est du Schleswig-Holstein invite à la baignade sur presque toute sa longueur. La côte de la mer du Nord est plus rude. C'est surtout sur les îles – Sylt, Amrum, Föhr, Helgoland – que l'on pourra se reposer.

Le Schleswig-Holstein, une région de vacances.

An der Flensburger Förde

Flensburg, nördlichste Stadt Deutschlands, Hafenstadt und Stadt des Rums, liegt an der Flensburger Förde und gehört zu den schönsten Städten im Norden. Sehr abwechslungsreich ist ein Spaziergang vom Südermarkt zum Nordertor. Zwischen beiden liegt der Nordermarkt mit der Marienkirche (Baubeginn 1284) und den zweistöckigen Schrangen, die 1595 zum Verkauf von Fleisch und Brot errichtet wurden. Zwischen Nordermarkt und Nordertor liegt die Norderstraße mit alten Kaufmannshöfen.

Flensburg, the northernmost city in Germany, port and city of rum, is located on Flensburger Förde and numbers among the most beautiful cities in the north. A walk from Südermarkt to Nordertor reveals a variety of sights. Between the two lies Nordermarkt with the Church of the Virgin Mary (beginning of construction: 1284) and the two-story Schrangen, which was built in 1595 for selling meat and bread. Norderstrasse with old merchant courtyards is situated between Nordermarkt and Nordertor.

Flensburg, la ville la plus septentrionale d'Allemagne, ville portuaire et ville du rhum, est située sur le Flensburger Förde et est l'une des plus belles villes du Nord. Une promenade de Südermarkt à Nordertor permet de découvrir des édfices d'une grande diversité. Entre ces deux points se trouve le Nordermarkt avec la Marienkirche (commencée en 1284) et le Schrangen de deux étages qui fut construit en 1595 pour vendre de la viande et du pain. Située entre Nordermarkt et Nordertor, la Norderstraße est bordée de vieilles résidences de marchands.

Überall in Flensburg erkennt man, daß die Stadt auf Hügeln liegt, und fast überall sieht man den Hafen, der sich in die Stadt hineinschiebt, etwa von der Toosbüystraße aus mit ihren gut erhaltenen Häusern aus der Gründer- und Jugendstilzeit. Der Brasseriehof an der Großen Straße, in dem im Sommer Hof-Feste stattfinden, war Handlungs-ort der Theodor-Storm-Novelle „Im Nachbarhaus links".

Everywhere in Flensburg you can see that the city is perched on hills, and the harbor, reaching into the town, is visible nearly everywhere, such as from Toosbüystrasse with its well-pre-served houses from the late nineteenth century and Art Nouveau period. Brasseriehof on Grosse Strasse, where festivals take place in summer, was the setting for Theodor Storm's novella, "Im Nachbarhaus links".

Partout à Flensburg on peut voir que la ville est bâtie sur des collines et presque partout l'on peut apercevoir le port qui pénètre très avant dans la ville, de la Toosbüystraße, par exemple, bordée de maisons bien conservées de l'époque de la Fonda-tion de l'Empire et de l'Art Nouveau. Brasseriehof dans la Große Straße sert de cadre à des fêtes estivales, C'est là que se déroule l'action de la nouvelle de Theodor Storm „Dans la Maison voisine, à gauche".

Das herzogliche Wasserschloß Glücks-burg nahe Flensburg spiegelt sich mit seinen wuchtigen Türmen in der stillen Fläche eines Teiches, der von lichten Buchenwäldern umgeben ist. Das Schloß, als Wiege europäischer Königshäuser bekannt, wurde in den Jahren 1583 bis 1587 an Stelle eines alten Klosters errichtet. Es lohnt, das Schloßmuseum zu besuchen.

The ducal castle in Glücksburg, with its mighty towers, is reflected in the smooth surface of a pond located in sparsely wooded beech forests. The castle, known as the cradle of Euro-pean royal houses, was built at the site of an old cloister from 1583 to 1587. The castle museum is worth a visit.

Le castel d'eau ducal de Glücksburg, près de Flensburg, se reflète avec ses puissantes tours dans un étang paisible, entouré de claires forêts de hêtres. Ce château, berceau de plusieurs familles royales européen-nes, fut construit de 1583 à 1587 sur l'emplacement d'un vieux monastère. Le musée du château mérite une visite.

Die Halbinsel Holnis, nördlich von Glücksburg gelegen, bietet einen weiten Blick hinüber nach Dänemark. Die Halbinsel lädt zum Sonnenbaden am Strand, zum Schwimmen in der Förde und zu Wanderungen ein, so etwa zur Steilküste, dem Naturdenkmal Holnis-Kliff.

The Holnis peninsula, north of Glücksburg, offers an expansive view reaching to Denmark. The peninsula is an inviting spot for sunbathing on the beach, swimming in the fiord and hikes, to the Holnis Cliff, for example, a natural monument on the steep rocky coast.

La presqu'île d'Holnis, au nord de Glücksburg, offre une large vue jusqu'au Danemark. Elle invite à prendre des bains de soleil sur ses plages, à nager dans les eaux de la baie et à faire des randonnées, aux falaises d'Holnis-Kliff, par exemple, un monument naturel.

Zwischen Kappeln, Schleswig und Eckernförde

Von Fischerei und Schiffahrt lebten jahrhundertelang die Leute von Maasholm. In unserer Zeit ist der Tourismus hinzugekommen, was kein Wunder ist: Der kleine Fischerort ist einer der idyllischen Plätze an der Ostsee. Maasholm, das im Laufe der Jahre um Maasholm-Bad, zu dem ein Strandbad gehört, erweitert wurde und vor allem Wassersport wie Scgcln und Surfcn anbietet, liegt nahe der Schleimündung auf der Halbinsel Oehe, die vor Jahrzehnten eine Insel war.

For centuries the people of Maasholm lived from fishing and shipping. The modern age has seen the advent of tourism, and no wonder: the fishing village is one of the most idyllic places on the Baltic Sea. Maasholm was extended in the course of the years and now incorporates Maasholm-Bad, which includes a beach pool. Located near the mouth of the Schlei River on the Oehe peninsula, which was an island decades ago, it offers above all water sports, such as sailing and windsurfing.

Au fil des siècles la population de Maasholm a pratiqué la pêche et la navigation. De nos jours elle vit aussi du tourisme, ce qui n'est pas surprenant: cette petite localité de pêcheurs est un lieu idyllique sur la mer Baltique. Maasholm qui fut agrandi au cours des années de Maasholm-Bad où se trouve une plage, est situé près de l'embouchure de la Schlei, sur la presqu'île d'Oehe qui était jadis une île. On y pratique les sports aquatiques comme la voile et le surf.

Das Bild des Fischerdorfes Maasholm wird geprägt von malerischen Reetdachhäusern, die teilweise aus dem 18. Jahrhundert stammen. Damals, im Jahre 1701, wurde das alte Maasholm im Bereich der Schleimündung wegen des hohen Wasserstandes des Flusses aufgegeben und das heutige Maasholm auf einer etwas höher gelegenen Stelle neu gebaut. Zu jener Zeit waren die Maasholmer Hörige des Gutsherrn von Oehe. Erst im Jahre 1805 wurden sie frei.

Maasholm's appearance is characterized by picturesque thatched houses, some of which date from the 18th century. In 1701 old Maasholm was abandoned in the area around the mouth of the Schlei because of the river's high water level and the present village was rebuilt at a somewhat more elevated site. At that time the people of Maasholm were serfs of Squire von Oehe. They did not become free until 1805.

Les pittoresques maisons au toit de roseaux qui datent en partie du 18e siècle, caractérisent le village de Maasholm. En 1701 le vieux Maasholm, situé sur l'embouchure de la Schlei, fut abandonné à cause du niveau élevé des eaux et le Maasholm actuel fut construit à un emplacement un peu plus élevé. A cette époque les habitants de Maasholm étaient les serfs du seigneur von Oehe. Ils ne furent affranchis qu'en 1805.

In Kappeln an der Schlei gibt es, rechts von der Drehbrücke, den letzten noch bestehenden Heringszaun. Es ist eine Fischfanganlage, ein reusenartiger Flechtzaun, der die Fische in einen sogenannten Heringssack lenkt. Dieser Sack ist ein Netz. Einmal im Jahr werden in Kappeln die Heringstage gefeiert – mit Heringswette und Heringswettessen. Nicht weit von Kappeln liegt Eckernförde. Dort sollte man die St. Nicolai-Kirche besuchen, die aus dem 13. Jahrhundert stammt. Die Kanzel (1605) von Hans Gudewerdt d. Ä. und der Hochaltar (1640) von Hans Gudewerdt d. J. sind besonders sehenswert.

The last remaining so-called herring fence can be found in Kappeln an der Schlei, to the right of the swing bridge. This interlaced fencing in the form of a fish trap is a fish-catching facility that guides the fish into a so-called herring sack, which is a net. Once a year the Herring Days are celebrated in Kappeln – with the "herring wager" and a herring-eating competition. Eckernförde is not far from Kappeln. There you should visit the 13th-century St. Nicolai Church. Of particular note are the pulpit (1605) by Hans Gudewerdt the Elder and the high altar (1640) by Hans Gudewerdt the Younger.

A Kappeln sur la Schlei, à droite du pont tournant, il y a la dernière „clôture a harengs" encore en existence. C'est une installation pour attraper les poissons, une clôture tressée en forme de nasse qui dirige le poisson dans un „sac à harengs". Ce sac est un filet. Une fois par an l' on célèbre à Kappeln les „Journées du Hareng" – avec paris sur les harengs pris et mangés. Non loin de Kappeln se trouve Eckernförde où l'église St. Nikolai, du 13e siècle, mérite d'être visitée. La chaire (1605) de Hans Gudewerdt le Vieux et le maître-autel (1640) de Hans Gudewerdt le Jeune sont particulièrement remarquables.

Eckernförde, mit dem vier Kilometer langen Strand an der Eckernförder Bucht, ist seit mehr als 150 Jahren Ostseebad. Die Stadt entwickelte sich im Schutze der Eichhörnchenburg (Ykaernaeburg), nach der sie heißt. Die Burg wurde 1231 zum ersten Male erwähnt. Ihren Namen verdankte sie den tiefen Eichenwäldern, in denen die Eichhörnchen von Eckernförde bis nach Kiel springen konnten, ohne den Boden zu berühren.

Eckernförde, with a four-kilometer long beach along Eckernförde Bay, has been a Baltic Sea resort for more than 150 years. The city developed under the protection of Eichhörnchenburg (Ykaernaeburg), after which it was named. The castle was first mentioned in 1231. It owes its name to the dense oak forests in which the squirrels ("Eichhörnchen" in German) were able to jump from Eckernförde to Kiel without touching the ground.

Eckernförde avec sa plage longue de quatre kilomètres sur la baie d'Eckernförde est une station balnéaire depuis plus de 150 ans. Cette ville se développa sous la protection de la forteresse d'Eichhörnchenburg (Ykaernaeburg) d'après laquelle elle se nomme. Cette forteresse est attestée pour la première fois par un document de 1231. Elle doit son nom aux épaisses forêts de chênes dans lesquelles les écureuils pouvaient sauter d'Eckernförde à Kiel sans toucher le sol.

„Aqua Tropicana" ist ein subtropisches Badeparadies, das seit 1990 das ohnehin reiche Freizeit-Angebot des Ostseebades Damp ergänzt. Das Ostseebad Damp wurde im Jahre 1972 aus dem Boden gestampft. Das Ferienzentrum bietet viele Sportmöglichkeiten, einen Strand und ein Museumsschiff. Ursprünglich war Damp der Name eines Gutes auf der Halbinsel Schwansen. Das Herrenhaus Damp wurde im 16. Jahrhundert gebaut.

"Aqua Tropicana" is a subtropical swimming paradise created in 1990 to add to the already broad array of recreational activities available in the Baltic Sea resort of Damp, which was built overnight in 1972. The holiday center offers numerous sports activities, a beach and a museum ship. Originally Damp was the name of an estate on the Schwansen peninsula. Damp Manor was built in the 16th century.

„Aqua Tropicana" est un paradis balnéaire subtropical qui est venu s'ajouter en 1990 à la riche palette de loisirs déjà offerts par la station balnéaire de Damp. Damp jaillit du sol en 1972. C'est un lieu de vacances qui permet la pratique de nombreux sports, possède une plage et un bateau musée. A l'origine le nom de Damp était celui d'un domaine sur la presqu'île de Schwansen. Le manoir de Damp date du 16e siècle.

Auf den Spuren der alten Wikinger

Die ehemalige Residenzstadt Schleswig ist eine der ältesten Städte Nordeuropas. Sie entwickelte sich aus der im Jahre 804 erstmals erwähnten Wikingersiedlung Haithabu. Heute findet man in der Stadt an der Schlei, die den Zweiten Weltkrieg weitgehend unbeschadet überstanden hat, idyllische Winkel – etwa in der Altstadt oder auf dem Friedhof am Holm.

The former royal seat of Schleswig is one of the oldest cities in northern Europe. It developed out of Haithabu, a Viking settlement first mentioned in 804. Today you can find idyllic spots, such as in the Old Town or at the cemetery am Holm, in the city on the Schlei, which survived the Second World War extensively unscathed.

L'ancienne ville de résidence princière de Schleswig est l'une des plus vieilles villes d'Europe du Nord. Elle se développa à partir de la colonie viking de Haithabu, mentionnée pour la première fois en 804. De nos jours l'on trouve des endroits idylliques dans la ville sur la Schlei, car elle ne subit presque aucun dommage pendant la Deuxiéme Guerre Mondiale – dans la vieille ville, par exemple, ou dans le cimetière au Holm.

Seit 1867 war Schleswig die Hauptstadt der preußischen Provinz Schleswig-Holstein. Das änderte sich nach 1945: Damals wurde Kiel die Hauptstadt des Landes Schleswig-Holstein. Schleswig behielt das Oberlandesgericht, das sich in einem eindrucksvollen Gebäude befindet. Wahrzeichen von Schleswig ist der Dom St. Petri, der eine Fülle von Kunstschätzen birgt, darunter Hans Brüggemanns Bordesholmer Altar.

Beginning in 1867, Schleswig was the capital of the Prussian province of Schleswig-Holstein. That changed after 1945, when Kiel became the capital of the federal state of Schleswig-Holstein. Schleswig kept the Higher Regional Court, located in an impressive building. St. Petri cathedral, which contains a wealth of art treasures, including Hans Brüggemann's Bordesholm altar, is Schleswig's landmark.

A partir de 1867 Schleswig devint la capitale de la province prussienne de Schleswig-Holstein mais en 1945 c'est Kiel qui fut choisi comme capitale du land de Schleswig-Holstein. Schleswig garda le tribunal régional supérieur, établi dans un édifice impressionnant. L'emblème de Schleswig est la cathédrale St. Petri. Elle abrite une foule de trésors artistiques dont l'autel de Bordesholm, oeuvre de Hans Brügge-mann.

Das Schloß Gottorf in Schleswig, in dem die Herzöge von Holstein-Gottorf und die Schauenburger Grafen residierten, ist eines der schönsten Schlösser des Landes. Auf der Schloßinsel stand schon um 1160 eine Wasserburg, die später festungsmäßig ausgebaut wurde. In der Renaissance wurde das Schloß umgestaltet. Seit 1945 befindet sich darin das Schleswig-Holsteinische und das Archäologische Landesmuseum. Besuchenswert ist auch das Museum Haithabu. Haithabu war vor tausend Jahren der wichtigste Handelsplatz in Nordeuropa.

Gottorf Castle in Schleswig, where the dukes from Holstein-Gottorf and the Schauenburg counts once resided, is one of the most beautiful castles in the state. Around 1160 there was already a castle on the island; later it was expanded as a fortress. During the Renaissance the castle was redesigned. The Schleswig-Holstein and Archeological State Museum has been housed there since 1945. Museum Haithabu is also worth visiting. A thousand years ago Haithabu was the most important trading site in northern Europe.

Le château de Gottorf à Schleswig, jadis résidence des ducs de Holstein-Gottorf et des comtes de Schauenburg est l'un des plus beaux du pays. Sur l'île du château il y avait déjà un castel d'eau en 1160. Il fut fortifié plus tard et remanié à la Renaissance. Il accueille depuis 1945 le musée régional du Schleswig-Holstein et le musée régional d'Archéologie. Le musée Haithabu mérite lui aussi une visite. Haithabu était, il y a 1000 ans, le lieu de commerce le plus important de l'Europe du Nord.

An der Kieler Bucht

Zwischen der Eckernförder und der Kieler Bucht liegt, mit seiner Steilküste, die einen weiten Blick auf die Ostsee und auf die dort kreuzenden Yachten erlaubt, Dänisch-Nienhof mit seinem klassizistischen Herrenhaus von 1870. Ein bißchen weiter südöstlich, beim Bülker Leuchtturm, beginnt die Strander Bucht mit den Badeorten Strande und Schilksee. Bei Schilksee wurde 1972 das Olympia-Zentrum und der Olympia-Hafen angelegt.

Dänisch-Nienhof with its steep coast, permitting an expansive view of the Baltic Sea and the yachts cruising on it, and its classical manor dating from 1870 lies between Eckernförde Bay and Kiel Bay. Slightly further southeast, near Bülk lighthouse, begins Strander Bucht with the seaside resorts of Strande and Schilksee. The Olympia Center and Olympia Harbor were built near Schilksee in 1972.

Dänisch-Nienhof et sa maison seigneuriale de style néo-classique datant de 1870, est situé entre la baie d'Eckernförde et celle de Kiel. La côte escarpée offre une vaste vue sur la mer Baltique et les yatchs qui la traversent. Un peu plus loin, au sud-est, près du phare de Bülk, commence la baie de Strande avec ses stations balnéaires de Strande et de Schilksee. Près de Schilksee furent créés, en 1972 le Centre-Olympia et le port d'Olympia.

Der 36 Meter hohe Bülker Leuchtturm an der Landspitze zwischen der Schwedeneck-Steilküste und der Strander Bucht wurde 1863 an Stelle eines 60 Jahre alten und durch Blitzschlag zerstörten Leuchtturms erbaut. Unweit des Leuchtturms befindet sich eine kleine Anhöhe, ein mittelalterlicher Wall, der auch „Störtebekerburg" genannt wird, was allerdings unhistorisch ist.

The 36-meter-high Bülk lighthouse at the spit of land between the Schwedeneck coast and Strander Bucht was constructed in 1863 at the site of a 60-year-old lighthouse destroyed by lightning. Not far from the lighthouse there is a small elevation, a medieval wall, which is also called "Störtebekerburg", though it is not historical.

Le phare de Bülk, haut de 36 mètres, situé sur le cap entre la côte escarpée de Schwedeneck et la baie de Strande, remplaça en 1863 un phare vieux de 60 ans qui avait été détruit par la foudre. Non loin du phare se trouve une petite hauteur, un remblai médiéval connu sous le nom de „forteresse de Störtebeker" mais cette appelation n'est pas authentique.

Vom Rathausturm hat man einen weiten Blick auf Kiel, das während des Zweiten Weltkrieges weitgehend zerstört wurde. Unterhalb des Rathauses liegt der „Kleine Kiel", Rest eines ehemaligen Fördearmes, dem Kiel seinen Namen verdankt. Er ist umgeben von Parks und großzügigen Gebäuden, darunter das 1905 erbaute Opernhaus, das Justiz-Ministerium und die Industrie- und Handelskammer.

The Town Hall tower offers an expansive view of Kiel, which was extensively destroyed during the Second World War. Below the Town Hall is the "Small Kiel", the remains of a former tributary of the firth, to which Kiel owes its name. It is surrounded by parks and spacious buildings, including the Opera House, built in 1905, the Ministry of Justice and the Chamber of Industry and Trade.

De la tour de l'hôtel de ville l'on a une vaste vue sur Kiel qui fut détruit en grande partie pendant la Deuxième Guerre Mondiale. Au pied de l'hôtel de ville le „Kleine Kiel" est le vestige d'une ramification de la baie. Kiel lui doit son nom. Il est entouré de parcs et d'édifices aux proportions généreuses comme l'opéra, bâti en 1905, le ministère de la Justice et la chambre de l'Industrie et du Commerce.

Das Rathaus der Stadt Kiel wurde in den Jahren 1907 bis 1911 im Jugendstil errichtet. Sein besonderes Merkmal ist der 106 Meter hohe Rathausturm, der das Stadtbild beherrscht. Der Turm erinnert an eine venezianische Campanile. Einer der Treffpunkte der Kieler und ihrer Gäste ist die Sophienpassage gleich am Hauptbahnhof an der Straße Sophienblatt. In dieser Passage gibt es 80 Geschäfte, darunter auch Restaurants und eine beliebte Eisdiele.

Kiel's Town Hall was constructed in Art Nouveau style between 1907 and 1911. Its special feature is the 106-meter-high Town Hall tower that dominates the city's skyline. The tower resembles a Venetian campanile. Sophienpassage, located on the street named Sophienblatt right at the main railway station, is one of the meetingplaces for Kiel residents and their guests. There are 80 shops in this passage, including restaurants and a popular ice cream parlor.

L'hôtel de ville de Kiel fut construit de 1907 à 1911 dans le style 1900. Il se distingue par sa tour haute de 106 mètres qui domine la ville. Elle rappelle un campanile vénitien. L'un des lieux de rencontre favori des habitants de Kiel et de leurs hôtes est le Sophienpassage, tout près de la gare, dans la rue Sophienblatt. Dans ce passage il y a 80 commerces dont des restaurants et un glacier fort apprécié.

Das Schiffahrtsmuseum in Kiel, das sich in einer neunzig Jahre alten Fischhalle befindet, zeigt Segelschiffsmodelle und die Ausstellung „In Kiel erdacht – in Kiel gebaut" unter anderem mit Echolot und Kreiselkompaß. Das Museum, zu dem auch ein Museumshafen gehört, liegt unmittelbar im Kieler Hafen, wo die großen Fährschiffe nach Skandinavien ablegen. Der Kieler Hafen war bis 1945 der größte deutsche Kriegshafen.

The Shipping Museum in Kiel, housed in a ninety-year-old fish-vending building, has models of sailing ships on display and an exhibition entitled "Designed in Kiel – built in Kiel", which includes an echosounder and gyroscopic compass. The museum, which is combined with a museum harbor, is situated right in Kiel Harbor where the large ferries to Scandinavia cast off. Until 1945 Kiel Harbor was Germany's largest naval harbor.

Le musée de la Navigation à Kiel, aménagé dans une halle aux poissons vieille de quatre-vingt-dix ans, présente des modèles de voiliers et l'exposition „Conçu à Kiel – construit à Kiel" – avec, entre autres, une sonde-écho et un compas gyroscopique. Ce musée qui comprend aussi une section portuaire, est situé directement dans le port de Kiel où accostent les grands bateaux partant pour la Scandinavie. Le port de Kiel était, jusqu'en 1945, le plus grand port de guerre allemand.

Das Marine-Ehrenmal in Laboe am Eingang zur Kieler Förde wurde 1927 bis 1936 von G. A. Munzer an Stelle eines Panzerturmes errichtet. Das Ehrenmal, zum Gedenken an die 35.000 während des Ersten Weltkrieges gefallenen Marinesoldaten erbaut, ist 87 Meter hoch und erinnert an einen Schiffssteven. Es ist heute – durch Ausstellungen ergänzt – eine Gedenkstätte der deutschen Marine, zu der auch das U-Boot U 995 gehört.

The naval memorial in Laboe at the entrance to the Kiel Firth was built by G. A. Munzer in place of a tank turret from 1927 to 1936. The memorial, which was commemorated to the 35,000 naval soldiers who died during the First World War, is 87 meters high and resembles a ship's stern post. Supplemented by exhibitions, it is a memorial site for the German Navy today, and also includes the U 995 submarine.

Le mémorial de la Marine à Laboe, à l'entrée de la rade de Kiel, fut conçu par G. A. Munzer et construit de 1927 à 1936 sur l'emplacement d'une tourelle blindée. Il a été réalisé en l'honneur des 35 000 soldats de la marine qui périrent pendant la Première Guerre Mondiale. Il a 87 mètres de haut et affecte la forme d'une étrave. De nos jours – on y présente également des expositions – c'est un lieu du souvenir dédié à la marine allemande. Il comprend aussi un sous-marin, l' U 995.

Südlich von Laboe, ebenfalls an der Kieler Förde, liegt – gegenüber der Holtenauer Schleuse, die in den Nord-Ostsee-Kanal führt – Heikendorf mit dem Ortsteil Möltenort. Sehr beliebt ist Heikendorf wegen seines Strandes, von wo aus man den Schiffsverkehr auf der Förde beobachten kann. In Möltenort sollte man das U Boot Ehrenmal von 1930 besuchen. Der 34 Meter hohe Heikenberg lädt zur Aussicht ein.

South of Laboe and also situated on Kiel Firth, opposite the Holtenau lock that leads to the Kiel Canal, is Heikendorf with the town district of Möltenort. Heikendorf is very popular because of its beach, from which you can watch ships sailing up and down the firth. In Möltenort you should visit the submarine memorial dating from 1930. The 34-meter-high Heikenberg is an inviting spot to get a view of the surrounding area.

Heikendorf avec son quartier de Möltenort est situé au sud de Laboe et, comme cette dernière, sur la rade de Kiel. Il se trouve en face de l'écluse d'Holtenau qui donne accès au canal de Kiel. Heikendorf est très populaire à cause de sa plage de laquelle on peut observer les bateaux navigant sur la rade. A Möltenort il ne faut pas manquer de visiter le mémorial du Sous-marin de 1930. Du mont Heikenberg, haut de 34 mètres, la vue s'étend au loin.

Freilichtmuseum Molfsee

Das Schleswig-Holsteinische Freilicht-museum Molfsee stellt umfassend die charakteristische Vielfalt bäuerlicher Bautypen dar. Das Leben auf dem Lande wird in Molfsee lebendig gehalten – vom Essen und Trinken bis zum Dorfjahrmarkt.

Schleswig-Holstein's Molfsee open-air museum presents a comprehensive picture of the characteristic diversity of rural architecture. Life in the country is kept alive in Molfsee – from eating and drinking to the village fair.

Le musée en plein air du Schleswig-Holstein à Molfsee présente, de façon extensive, les différents types d'habitations rurales caractéristiques de ces régions. Ce musée préserve les usages de la vie à la campagne – de la nourriture à la boisson jusqu'à la fête au village.

Rechts und links vom Nord-Ostsee-Kanal

Rendsburg mit seinen schönen alten Bürgerhäusern macht es dem Gast leicht, sich wohl zu fühlen. Zu den Sehenswürdigkeiten der Stadt gehören das Rathaus aus dem 16. Jahrhundert mit seinen liebenswerten Details, man denke an die Rathaustür, und das Theater, das im Jahre 1901 fertiggestellt wurde. Es liegt idyllisch zwischen der Altstadt und der Garnisonstadt Neuwerk.

Rendsburg with its lovely old town houses makes it easy for guests to feel at home. The sights offered by the town include the Town Hall from the 16th century with its splendid details, one just has to think of the Town Hall door, and the theater, which was completed in 1901. It occupies an idyllic location between the Old Town and the garrison town of Neuwerk.

Rendsburg avec ses belles demeures de jadis plaira au visiteur. Les édifices les plus remarquables sont l'hôtel de ville du 16e siècle avec ses aimables détails – ceux de la porte par exemple – et le théâtre, complété en 1901. Il est situé à un endroit idyllique entre la vieille ville et la ville de garnison de Neuwerk.

Der Nord-Ostsee-Kanal, der 1887 bis 1895 als Kaiser-Wilhelm-Kanal gebaut wurde, brachte Rendsburg einen wirtschaftlichen Aufschwung. Bei der Erweiterung des Kanals wurde in Rendsburg die 2,5 Kilometer lange Hochbrücke errichtet, die den Kanal in 42 Meter Höhe 140 Meter frei über-spannt und unter der sich eine Schwebefähre befindet. Über weite Strecken zieht der Kanal durch Wiesen und Felder.

The Kiel Canal, which was built as the Kaiser Wilhelm Canal from 1887 to 1895, brought an economic upswing to Rendsburg. When the canal was enlarged, a 2.5-kilometer-long bridge was built across the canal in Rendsburg with a span of 140 meters and a height of 42 meters; underneath it there is a suspension platform. The canal runs through large stretches of fields and meadows.

Le canal de Kiel, construit de 1887 à 1895 – il s'appelait alors Kaiser-Wilhelm-Kanal – causa l' essor économique de Rendsburg. Lors de l'agrandissement du canal l'on construisit le viaduc, long de 2,5 kilomètres qui enjambe le canal à une hauteur de 42 mètres. Il est libre de tout support sur 140 mètres. Dessous il y a un pont-transbordeur. Le canal traverse des champs et des prairies sur une grande partie de son parcours.

Das Herrenhaus Emkendorf im Naturpark Westensee, erstmals erwähnt
im Jahre 1190, wurde Ende des
18. Jahrhunderts – unter der Familie
v. Reventlow – in ein frühklassizisti-
sches Schloß umgebaut, das zu den
bedeutenden Profanbauten des
Landes gehört. Zu jener Zeit war
Emkendorf ein Zentrum des geistigen
Lebens. Dort waren unter anderem
Klopstock, Lavater, Voß und Claudius
zu Gast.

The Emkendorf manor in Westensee
National Park, first mentioned in 1190,
was converted into an early classical
palace by the v. Reventlow family at
the end of the 18th century and
became one of the major secular
buildings of the region. At that time
Emkendorf was a center of intellectual
life. The guests there included Klopstock, Lavater, Voß and Claudius.

La maison seigneuriale d'Emkendorf
dans la réserve naturelle de Westensee, mentionnée pour la première fois
en 1190, fut transformée à la fin du
18e siècle par la famille v. Reventlow
en un château de style néo-classique
commençant. Il compte parmi les
édifices profanes les plus importants
du pays. A cette époque Emkendorf
jouait un rôle de premier ordre dans
la vie intellectuelle. Des hommes
célèbres comme Klopstock, Lavater,
Voß et Claudius y séjournèrent.

Neumünster ist einer der Verkehrs-
knotenpunkte in Schleswig-Holstein.
Darüberhinaus war Neumünster seit
dem 17. Jahrhundert die Stadt der
Tuchmacher, was dazu führte, daß sie
sich im 19. Jahrhundert zu einem Zentrum der Textil- und Lederindustrie
entwickelte. Sehenswert ist daher auch
das Textilmuseum mit einer For-
schungsstelle für frühgeschichtliches
Gewebe.

Neumünster is one the traffic nodes in
Schleswig-Holstein. Moreover, Neumünster was a city of clothmakers
since the 17th century, which led to its
development into a center of the textile and leather industry in the 19th
century. For this reason it is well worth
visiting the Textile Museum with its
research center for early historical
fabric.

Neumünster est l'un des noeuds de
communication du Schleswig-Holstein.
Depuis le 17e siècle elle était, de plus,
la ville des drapiers ce qui contribua à
faire d'elle, au 19e siècle, un centre de
l'industrie du tissu et du cuir. Le musée
du Textile mérite une visite. On y
effectue des recherches sur les tissus
de la proto-histoire.

Holsteinische Schweiz

Plön, Hauptort der Holsteinischen Schweiz, ist ein alter Markt- und Kirchenort, der sich unterhalb einer Burg entwickelte. Aus der Burg wurde 1633 bis 1635 das heutige Schloß, in dem jahrzehntelang – bis 1918 – eine Kadettenanstalt untergebracht war, in der auch die Söhne Kaiser Wilhelms II. erzogen wurden. Hauptkirche von Plön ist die St. Nikolaikirche.

Plön, the main city in Holsteinische Schweiz, is an old market and church town that developed below a castle. From 1633 to 1635 the castle was turned into the present-day palace, which for decades, until 1918, accommodated a cadet school where the sons of Kaiser Wilhelm were educated. The main church in Plön is St. Nikolai Church.

Plön, localité principale de la Suisse du Holstein, est un antique lieu de marché et l'emplacement d'une église. Elle s'est développée au pied de la forteresse qui fut remaniée de 1633 à 1635 pour devenir l'actuel château. Celui-ci accueillit pendant de nombreuses années – jusqu'en 1918 – une école de cadets qui fut fréquentée, entre autres, par les fils de l'empereur Guillaume II. St. Nikolai est la principale église de Plön.

Die Stadt Plön wird umgeben vom Großen Plöner See, Kleinen Plöner See, Trammer See und Schöhsee. Sie sind Teile der Plöner Seenplatte. Der große Plöner See ist mit 2.900 Hektar der größte Binnensee in Schleswig-Holstein. Es versteht sich, daß man in dem Revier mit Ruderbooten auf „Seereise" gehen, daß man segeln, surfen, schwimmen und angeln kann.

The city of Plön is surrounded by Large Plön Lake, Small Plön Lake, Trammer Lake and Schöhsee. They form part of the Plön lake region. Large Plön Lake is the largest lake in Schleswig-Holstein, covering 2900 hectares. There are naturally rowboats available for a "lake voyage" and opportunities for sailing, wind-surfing, swimming and fishing.

La ville de Plön est entourée des lacs de Großer Plöner See, Kleiner Plöner See, Trammer See et Schöhsee. Ils font partie de la Plöner Seenplatte. Avec ses 2.900 ha, Großer Plöner est le plus grand lac de Schleswig-Holstein. Il va de soi qu'on peut le parcourir à la rame, y faire de la voile, du surf, de la nage et de la pêche.

Der Marktplatz ist Mittelpunkt von Eutin. Er wird überragt von der bald 800jährigen Michaeliskirche mit ihrem stämmigen Westturm. Besonders sehenswert in Eutin ist das Schloß, das zunächst eine mittelalterliche Burg war und zu Beginn des 18. Jahrhunderts zu einem vierflügeligen Wohnschloß umgebaut wurde. Im Innern befindet sich die größte Porträtsammlung Norddeutschlands.

The marketplace is the center of Eutin. It is dominated by the nearly 800-year-old Michaelis Church with its mighty west tower. Of particular interest in Eutin is the palace, which started out as medieval castle and was transformed into a four-wing residential palace at the beginning of the 18th century. The interior contains the largest collection of portraits in northern Germany.

La place du marché est le coeur d'Eutin. Elle est dominée par la Michaeliskirche et sa massive tour ouest qui ont près de 800 ans. Le château d'Eutin est particulièrement remarquable. Ce fut d'abord une forteresse médiévale qui fut transformée, au début du 18e siècle, en un château à quatre ailes. Il abrite la plus grande collection de portraits d'Allemagne du Nord.

Malente-Gremsmühlen, zwischen Dieksee und Kellersee in der Holsteinischen Schweiz gelegen, ist ein beliebtes Kneippheilbad. Von hier auf dem Weg zur Ostseeküste kommt man vorüber an Oldenburg, wo es seit einigen Jahren das Wall-Museum gibt. In seinem Museumshafen liegt ein slawisches Frachtschiff. Es gibt unter anderem einen Rosengarten, eine Galerie, ein Haus der Gilde und die reetgedeckte Altgalendorfer Scheune, Fachwerk mit Lehm, in dem eine slawische Dorfsiedlung lebendig und ein Wagenkastengrab gezeigt wird.

Malente-Gremsmühlen, situated in Holsteinische Schweiz between Dieksee and Kellersee, is a popular Kneipp treatment spa. On the way from here to the Baltic Sea coast one passes by Oldenburg, where the Wall-Museum has been open to visitors for several years. A Slavic cargo ship lies at anchor in its museum harbor. There is also a rose garden, a gallery, a guildhall and the thatched Altgalendorf barn, half-timbered framework with clay, in which a Slavic village settlement comes alive and a historical grave site can be seen.

Malente-Gremsmühlen, entre les lacs de Dieksee et de Kellersee dans la Suisse du Holstein, est un lieu de traitement hydrothérapique Kneipp. De là, en se dirigeant vers la côte de la Baltique, on parvient à Oldenburg où l'on a créé, il y a quelques années, le musée Wall. Dans le port de ce musée un bateau de marchandises slave est à l'ancre. Il y a de plus une roseraie, une galerie, une maison de guilde et la grange au toit de roseaux d'Altgalendorf, édifices de torchis à colombages dans lesquels un village slave reprend vie et où une tombe de la proto-histoire est montrée.

Die Insel Fehmarn

Der Weg nach Fehmarn führt über den Fehmarnsund, der seit 1963 durch die 963 Meter lange Fehmarnsund-Brücke überquert wird. Sie befindet sich 70 Meter über dem Wasser. Fehmarn liegt an der Vogelfluglinie und ist bekannt durch den Fährhafen Puttgarden. Große Teile der Insel werden landwirtschaftlich genutzt – Mitte Mai wird das Rapsblütenfest gefeiert.

The way to Fehmarn takes you across the Fernmarnsund, which has been spanned by the 963-meter-long Fehmarnsund Bridge since 1963. It is 70 meters above the water. Fehmarn is located on the flight path of birds and is known for the Puttgarden ferry harbor. Large sections of the island are used for agriculture – the rape blossom festival is celebrated in mid-May.

Pour aller à Fehmarn on traverse le Fehmarnsund qu'enjambe un pont long de 963 mètres, construit en 1963: le Fehmarnsund-Brücke. Il passe 70 mètres au-dessus de l'eau. Fehmarn se touve sur la ligne „Vogelflug" et est connue pour son port de ferries de Puttgarden. L'île est dédiée, en grande partie, à l'agriculture. Ainsi, à la mi-mai, l'on célèbre la fête de la floraison du colza.

Burgtiefe, der Strand des etwas land-einwärts liegenden Inselhauptortes Burg, ist längst zu einem weithin bekannten und beliebten Badeort und Ferienzentrum geworden. Burgtiefe liegt auf einer Halbinsel zwischen der Ostsee und dem Burger Binnensee. Für weniger sonnige Tage ist das Vitarium erbaut worden, eine überdachte Freizeitlandschaft.

Burgtiefe, the beach belonging to the somewhat more inland municipality of Burg, the main town on the island, has long become well-known and popular far and wide as a seaside resort and vacation center. Burgtiefe is situated on a peninsula between the Baltic Sea and Burg Lake. The Vitarium, a covered recreational landscape, was built for less sunny days.

Burgtiefe est la plage de Burg, localité principale de l'île, située un peu à l'intérieur des terres. Depuis longtemps déjà c'est une station balnéaire et un lieu de vacances très appréciés et connus au loin. Burgtiefe se trouve sur une presqu'île entre la mer Baltique et le lac de Burg. Le vitarium a été construit pour les journées moins ensoleillées. C'est un paysage récréatif couvert.

Das kopfsteingepflasterte Burg ist eine gepflegte Kleinstadt mit altem Baumbestand, sehr viel Fachwerk und freundlichen Gasthäusern. Übrigens: Über die Geschichte der Insel und das Leben der alten Insulaner informiert das Peter-Wiepert-Museum in der Breiten Straße.

Burg with its cobbled streets is a well-kept small town with old trees, a lot of half-timbered houses and friendly inns. By the way, the Peter-Wiepert-Museum on Breite Strasse provides information on the history of the island and the life of the old islanders.

La ville de Burg aux rues pavées est une petite ville proprette avec de vieux arbres, beaucoup de colombages et d'aimables restaurants. Le musée Peter-Wiepert dans la Breite Straße, informe sur l'histoire de l'île et la vie de ses habitants autrefois.

Zu den Sehenswürdigkeiten auf Fehmarn gehört die Segelwindmühle in Lemkenhafen. Die Mühle, ein Holländer aus dem Jahre 1787, wird nicht mehr zum Kornmahlen genutzt. Sie ist heute ein vielbesuchtes Mühlen- und Landwirtschaftsmuseum.

One of the sights on Fehmarn is the windmill in Lemkenhafen. The mill, which dates from 1787, is no longer used to grind grain. It is now a much frequented mill and agriculture museum.

Le moulin à voiles de Lemkenhafen est l'une des curiosités de Fehmarn. Ce moulin de type „Holländer", construit en 1787, n'est plus utilisé pour moudre le grain. C'est à présent un musée sur les moulins et l'agriculture.

Auf Fehmarn sichern mehrere Leucht-feuer die Schiffahrtswege entlang der schleswig-holsteinischen Ostseeküste. Zu den bekanntesten gehört der rotweiße Flügger Leuchtturm. Flügge liegt an der Westküste von Fehmarn. Bekannt ist auch das Leuchtfeuer Staberhuk an der Südostspitze.

Several navigational lights safeguard passage through the shipping channel along the Baltic Sea coast of Schleswig-Holstein. One of the best known is the red-and-white Flügge lighthouse. Flügge is a town on the western coast of Fehmarn. The Staberhuk navigational light at the southeastern tip is also well-known.

Sur l'île de Fehmarn de nombreux fanaux indiquent les voies navigables le long de la côte du Schleswig-Holstein. Le phare de Flügge, rouge et blanc, est parmi les plus connus. Flügge est situé sur la côte ouest de Fehmarn. Le fanal de Staberhuk sur la pointe sud-est de l'île est bien connu lui aussi.

In Puttgarden wurde im Jahre 1963, gleichzeitig mit der Fertigstellung der Fehmarnsund-Brücke, der Fährhafen „Fehmarnkai" in Betrieb genommen. Von dort aus verkehren regelmäßig deutsche und dänische Fährschiffe zwischen Fehmarn und dem dänischen Rodbyhaven auf der Insel Lolland.

In Puttgarden the ferry harbor started up operations in 1963, at the same time as the completion of the Fehmarnsund Bridge. Regular services are provided from there by German and Danish ferry boats that sail between Fehmarn and the Danish port of Rodbyhaven on the island of Lolland.

A Puttgarden la mise en service du port de ferry „Fehmarnkai" coïncida avec la complétion du pont de Fehmarnsund-Brücke, en 1963. Des ferries allemands et danois font régulièrement la navette entre Fehmarn et le port danois de Rodbyhaven sur l'île de Lolland.

An der Lübecker Bucht

Einer der beliebten Ferienorte in Schleswig-Holstein ist Grömitz – und das nicht nur seines Strandes wegen. Ein Ziel vor allem der Wanderer, die es ruhig mögen, ist die Steilküste an der Lübecker Bucht. Grömitz ist aus dem am Strand gelegenen Wicheldorf und dem auf der Anhöhe liegenden Grömitz, dessen Kirche 1259 erstmals erwähnt wurde, zusammengewachsen.

One of the most popular vacation resorts in Schleswig-Holstein is Grömitz, not only because of its beach. A spot sought out especially by hikers who prefer peace and quiet is the steep coast along Lübeck Bay. Grömitz is the product of Wicheldorf, a village located on the beach, and Grömitz, which is perched on an elevation and whose church was first mentioned in 1259.

Grömitz est un lieu de vacances parmi les plus appréciés du Schleswig-Holstein. La plage n'est pas seule à attirer les visiteurs. La côte escarpée de la baie de Lübeck est très appréciée des randonneurs qui aiment la tranquillité. Grömitz est né de la fusion de Wicheldorf, situé sur la plage et de Grömitz, situé en hauteur, dont l'église fut mentionnée pour la première fois en 1259.

Das Ostseebad Grömitz registrierte im Jahre 1813 erste Badegäste. Zwanzig Jahre später wurden die ersten Badekarren in die Ostsee geschoben, und 1839 war Grömitz eine Badeanstalt für kalte und warme Seebäder. Heute bietet der Badeort eine dreieinhalb Kilometer lange Strandpromenade, einen weißen, feinsandigen Strand und eine fast 400 Meter lange Seebrücke.

The Baltic Sea resort of Grömitz registered its first spa visitors in 1813. Twenty years later the first so-called bathing carriages were pushed into the Baltic Sea, and in 1839 Grömitz was a spa for cold and warm seabaths. Today the seaside resort offers a three-and-a-half-kilometer-long beach promenade, a white, fine-sand beach and a nearly 400-meter-long sea bridge.

La station balnéaire de Grömitz accueillit ses premiers baigneurs en 1813. Vingt ans plus tard les premières carrioles de bain étant poussées dans la mer Baltique et en 1839 Grömitz était doté d'un établissement balnéaire pour les bains de mer froids et chauds. De nos jours l'on trouve à Grömitz une promenade longue de 3,5 kilomètres au bord de la mer, une plage de sable blanc et fin et un ponton de près de 400 mètres de long.

Cismar verdankt seine Existenz dem unordentlichen Lebenswandel der Mönche eines 1177 in Lübeck gegründeten Benediktinerklosters. Die Mönche legten sich obendrein mit dem Lübecker Rat an, woraufhin ihr Chef, der Erzbischof von Bremen, die Verlegung des Klosters nach Cismar anordnete. Cismar wurde ein bedeutender Wallfahrtsort. Der Wohlstand des Klosters läßt sich noch heute erahnen. Die Kirche von Altenkrempe bei Neustadt, erinnert an die Zeit Ende des 12. und Anfang des 13. Jahrhunderts, da die Wenden Christen wurden.

Cismar owes its existence to the disorderly way of life of the monks in a Benedictine monastery that was founded in Lübeck in 1177. On top of everything, the monks quarreled with the Lübeck Town Council, after which their superior, the Archbishop of Bremen, ordered the monastery to be relocated in Cismar. Cismar became an important place of pilgrimage. The affluence of the monastery is still evident today. The church in Altenkrempe near Neustadt recalls the period at the end of the 12th and beginning of the 13th century when the Wends were christianized.

Cismar doit son existence à la conduite répréhensible des moines du monastère bénédictin, fondé à Lübeck en 1177. De plus les moines cherchèrent querelle au conseil de la ville de sorte que leur supérieur, l'archevêque de Lübeck leur donna l'ordre de transférer leur monastère à Cismar. Cismar devint un important lieu de pélerinage. On peut encore aujourd'hui se faire une idée de la prospérité du monastèrc. L'église d'Altenkrempe, près de Neustadt, rappelle la fin du 12e siècle et le début du 13e, époque à laquelle les Wende furent convertis au christianisme.

Der Hafen von Neustadt, dessen Wahrzeichen der über mehrere Dachgeschosse verfügende ehemalige Kornspeicher ist, dient nicht nur dem Handel, der Bundesmarine und dem Wassersport: Sehr beliebt sind die Neustädter Hafenfeste. Etwas weiter südlich von Neustadt liegt der Badeort Sierksdorf, bekannt durch den Freizeitpark Hansa-Land, und Scharbeutz-Haffkrug. Hier empfindet man noch den Charme der alten Badeorte, die ein bißchen aus der Zeit, da sie noch Fischerdörfer waren, zu uns herübergerettet haben.

The port of Neustadt, whose landmark is the former granary with its several attic stories, not only serves trade, the Federal Navy and aquatic sports: Neustadt's harbor festivals are very popular as well. South of Neustadt lies the seaside resort of Sierksdorf, known for the Hansa-Land recreational park, Scharbeutz-Haffkrug. Here you can still feel the charm of the old seaside resorts that have managed to retain a hint of the aura from the days when they were still fishing villages.

Le port de Neustadt dont l'emblème est l'entrepôt à grain qui s'étend sur plusieurs greniers, ne sert pas seulement au commerce, à la marine de la République Fédérale et aux sports aquatiques. Les fêtes du port de Neu stadt sont très populaires. Un peu plus au sud se trouve la station balnéaire de Sierksdorf que son parc d'amuse ment Hansa-Land a fait connaître et Scharbeutz-Haffkrug. Ici l'on retrouve le charme des stations balnéaires d'autrefois, du temps où elles étaient encore des villages de pêcheurs.

Im Ostseebad Timmendorfer Strand kann man sich nicht nur erholen – etwa am Strand oder auf der überdachten Kurpromenade, Timmendorfer Strand ist auch ein Einkaufsparadies, in dem es gute Einkehrmöglichkeiten gibt. Doch wer Timmendorfer Strand sagt, meint nicht nur Trubel. Ein ruhiger Platz, zum Beispiel, ist der Vogelpark im Ortsteil Niendorf.

In Timmendorfer Strand not only can you relax – for example, on the beach or on the covered promenade – it is also a shopping paradise with good restaurants and pubs. When people talk about Timmendorfer Strand, they not only mean hustle and bustle, however. The bird park in Niendorf, for example, is a quiet spot.

A Timmendorfer Strand l'on peut se reposer sur la plage, par exemple, ou sur la promenade couverte mais Timmendorfer Strand est aussi un paradis de l'achat où il est facile de se restaurer. Pourtant Timmendorfer-Strand n'est pas seulement synonyme de turbulence. Le parc ornithologique dans le quartier de Niendorf est un lieu paisible.

Lübeck: Die Königin der Hanse

Die alte Pracht ist noch lange nicht verblichen. Wo immer man sich in der Altstadt von Lübeck (die gesamte Altstadt wurde von der UNESCO zum Weltkulturerbe erklärt) aufhält: Die alten Steine erzählen Geschichten der einst mächtigsten Hansestadt. Im Rathaus am Markt, ein Gebäudekomplex, der zwischen 1230 und 1570 entstanden ist, liefen Fäden aus ganz Nordeuropa zusammen. Die doppeltürmige Marienkirche von 1260 und 1350, Hauptbau der norddeutschen Backsteingotik, diente als Vorbild für viele große Kirchen im Ostseeraum.

The old glory has not yet faded by a long shot. Wherever you go in Lübeck's Old Town (which has been designated in its entirety by UNESCO as part of the World Cultural Heritage): the old stones tell stories about what was once the most powerful Hanseatic city. The Town Hall at the marketplace, a complex created between 1230 and 1570, was a hub for all of northern Europe. The double-tower Church of the Virgin Mary, dating from 1260 and 1350, a major structure of the northern German brick Gothic period, served as a model for many large churches in the Baltic Sea region.

La splendeur de jadis ne s'est pas encore ternie. Quel que soit l'endroit de la vieille ville où l'on se trouve (la vieille ville toute entière fut classée Héritage Culturel Mondial par l'UNESCO), les vieilles pierres racontent l'histoire de la ville hanséatique jadis puissante. Dans l'hôtel de ville sur le Markt, un complexe architectural construit entre 1230 et 1570, des fils venant de toute l'Europe du Nord se rejoignaient. La Marienkirche à deux tours, construite de 1260 à 1350, est la principale représentante du gothique de brique nord-allemand et servit de modèle pour de nombreuses églises des régions baltes.

Wahrzeichen Lübecks ist das Holsten-tor, das 1466 bis 1478 erbaut wurde und im Leben der Lübecker auch heute noch eine Rolle spielt – und sei es als Kulisse für Kunst im öffentlichen Raum. Reich ausgestattet ist der Dom, eine Backsteinhallenkirche aus dem 12. Jahrhundert.

Holstentor, which was built from 1466 to 1478 and still plays a role in the lives of the people of Lübeck, even as a setting for art in public places, is the city's landmark. The cathedral, a 12th-century brick church, is richly endowed.

L'Holstentor est l'emblème de Lübeck. Elle fut construite de 1466 à 1478 et joue encore aujourd'hui un rôle dans la vie des habitants de Lübeck – ne serait-ce que comme décor pour l'art sur la voie publique. L'intérieur de la cathédrale, une église-halle de brique du 12e siècle, est richement aménagé.

Das Haus der Schiffergesellschaft von 1535 war einst Gildehaus und ist heute eine mit vielen Erinnerungen befrachtete Gaststätte, in der norddeutsch gekocht wird. Die Straße An der Untertrave führt an der Stadt-Trave, am Holsten- und am Hansahafen vorüber – vorüber aber auch an alten Seglern, die einst das Bild der Häfen bestimmten.

The House of the Society of Sailors dating from 1535 was once a guildhall and is now an inn that holds many memories and in which northern German meals are served. The street An der Untertrave runs along the Stadt-Trave River, past Holstenhafen and Hansahafen as well as past old sailing ships that once dominated the scene in the harbors.

La maison de la Compagnie des Navigateurs datant de 1535 était jadis une maison de guilde. Elle accueille à présent un restaurant empreint de nombreux souvenirs où l'on sert des mets de l'Allemagne du Nord. La rue An der Untertrave longe la Stadt-Trave et les ports de Holstenhafen et Hansahafen – et passe aussi devant de vieux voiliers qui jadis étaient caractéristiques de la physionomie du port.

Seit sechs Jahrhunderten ist Travemünde, das 1802 Seebad wurde, ein
Stadtteil von Lübeck. Das moderne
Bad mit seiner schönen Strandpromenade hat einen historischen Ortskern
und gilt mit seinem Skandinavien-Kai,
von wo aus es viele Schiffsverbindun-
gen nach Skandinavien gibt, als „Tor
nach Norden".

Travemünde, which became a seaside
spa in 1802, has been a part of Lübeck
for six centuries. The modern spa
with its beautiful beach promenade
has a historical core and with its
Scandinavia Quay, where many sea
links to Scandinavia are available, is
regarded as a „gateway to the north".

Travemünde qui devint station balnéaire en 1802 est un quartier de Lübeck
depuis six siècles. On y trouve une
belle promenade le long de la mer et
un vieux centre historique. A partir du
Skandinavien-Kai de nombreuses
liaisons maritimes relient Travemünde
à la Scandinavie ce qui lui a valu le
nom de „Porte vers le Nord".

Umgeben von Sportseglern liegt die 1911 erbaute Viermastbark „Passat" an der Priwall-Mole in Travemünde. Sie diente als Segelschulschiff und ist heute ein Kulturdenkmal der Segelschiffahrt. Travemünde liegt am Ende der 124 Kilometer langen Trave, die in Gießelrade entspringt – zehn Kilometer von der Ostsee entfernt.

Built in 1911 and surrounded by sailing-sport boats, the four-mast barque "Passat" is moored at the Priwall Mole in Travemünde. It served as a sailing school ship and is now a cultural monument. Travemünde is located at the end of the 124-kilometer-long Trave River, whose source is in Gießelrade, ten kilometers from the Baltic Sea.

Le voilier à quatre mâts „Passat", entouré de voiliers de plaisance, est à l'ancre à la jetée de Priwall-Mole à Travemünde. Il fut construit en 1911 et servait de bateau-école. C'est aujourd'hui un monument culturel de la navigation à voile. Travemünde est situé à l'embouchure de la Trave, longue de 124 kilomètres. Elle prend sa source à Gießelrade, à dix kilomètres de la mer Baltique.

Im holsteinischen Binnenland – bis an die Elbe

Bad Segeberg, die „Siegesburg", die Kaiser Lothar 1134 gegen die Wenden anlegen ließ, ist mit seiner Fußgängerzone und mit seinen historischen Bürgerhäusern besuchenswert. Weithin bekannt aber sind die Kalkberghöhlen, in denen weit über hundert Tierarten sonnenlichtlos leben, und die Freilichtbühne am Kalkfelsen, wo alljährlich die Karl-May-Festspiele stattfinden.

Bad Segeberg, the "victory castle" that Kaiser Lothar erected as protection against the Wends in 1134, is worth a visit, particularly because of its pedestrian zone and historical town houses. Known far and wide are the Kalkberg caves, in which over a hundred animal species live away from sunlight, and the open-air stage at Kalkfelsen, where the Karl May Festival takes place every year.

Bad Segeberg, la „Siegesburg" que l'empereur Lothar fit construire en 1134 contre les Wendes, possède une zone piétonne et de vieilles demeures bourgeoises qui la rendent digne d'une visite. Les grottes de Kalkberg où plus de cent sortes d'animaux vivent sans voir la lumière du soleil et la scène en plein air de Kalkfelsen où a lieu, chaque année, le festival de Karl May, sont bien connues.

Zu den Sehenswürdigkeiten in Bad Oldesloe, das ein beliebter Wohnort der Hamburger ist, zählt das Rathaus, das 1798 erbaut wurde. Im 19. Jahrhundert war Oldesloe ein von Patrizier aus Lübeck und Hamburg gern besuchter Badeort. Auch der dänische König Christian VIII. hat dort gekurt. Noch heute wird eine steinerne Badewanne gezeigt, in der er gesessen haben soll.

One of the sights in Bad Oldesloe, a popular residential town for the people of Hamburg, is the Town Hall, which was built in 1798. In the 19th century Oldesloe was a seaside resort that patricians from Lübeck and Hamburg were fond of visiting. Even the Danish king, Christian VIII, took a cure there. Today a stone bathtub is still displayed in which he is supposed to have sat.

Parmi les édifices qui méritent d'être vus à Bad Oldesloe – une localité où les Hambougeois résident volontiers – il faut mentionner l'hôtel de ville, construit en 1798. Au 19e siècle la station balnéaire d'Oldesloe était fréquentée par les riches bourgeois de Lübeck et de Hambourg. Le roi de Danemark Christian VIII y fit, lui aussi, une cure. Encore aujourd'hui l'on peut voir une baignoire de pierre dans laquelle il se serait assis.

Das Flüßchen Beste, das in Bad Oldesloe in die Trave fließt, hat sich für ihren Lauf eine malerische Landschaft ausgesucht. So ist es auch zu verstehen, daß an der Beste ein Landgut mit dem Namen Blumendorf liegt – unmittelbar an der Straße und unübersehbar für den Autofahrer.

The River Beste, which flows into the Trave in Bad Oldesloe, picked out picturesque countryside for its course. It is no wonder then that an estate called Blumendorf is located on the Beste, right on the road and in conspicuous view for car drivers.

La petite rivère Beste qui se jette dans la Trave à Bad Oldesloe, a choisi de couler dans un bien joli paysage. Ceci explique que l'on trouve sur sa rive un domaine du nom de Blumendorf. Comme il est situé directement au bord de la route, les automobistes sont obligés de le voir.

Das zweigeschossige Herrenhaus des adeligen Gutes Blumendorf stammt aus der Zeit um 1740. Zwanzig Jahre später wurde das Innere des Hauses umgebaut. 1840 bekam das Herrenhaus einen Turm, und 1906 wurde sein Äußeres neubarock umgestaltet. Den Park gab es bereits im 18. Jahrhundert.

The two-story manor of the noble estate of Blumendorf dates from the period around 1740. Twenty years later the interior of the house was redone. In 1840 the manor was given a tower and in 1906 its exterior appearance was redesigned in neo-baroque style. The park already existed in the 18th century.

La maison seigneuriale de deux étages du domaine aristocratique de Blumen-dorf fut construite vers 1740. Vingt ans plus tard l'intérieur de cette demeure fut remanié puis, en 1840, une tour fut ajoutéc. En 1906, enfin, l'extérieur fut transformée dans le style néo-baroque. Le parc existait déjà au 18e siècle.

Der Dom der Inselstadt Ratzeburg wurde, gefördert von Heinrich dem Löwen, in den Jahren 1160 bis 1220 gebaut. Er ist ein Frühwerk des Backsteinbaus und hat eine sehenswerte Innengestaltung, darunter befindet sich ein Altar aus dem Knorpelbarock von 1629. Um den Dom herum steht das ehemalige Domkloster mit Nebengebäuden und das Kreismuseum.

The cathedral of the island town of Ratzeburg was built from 1160 to 1220 with the support of Henry the Lion. It is an early brick edifice and has an attractive interior design, including a carved altar dating from 1629. Around the cathedral is the former cathedral cloister with outbuildings and the district museum.

La cathédrale de la ville insulaire de Ratzeburg fut construite de 1160 à 1220 sous le patronage d'Henri le Lion. C'est l'une des premières réalisations de l'architecture de brique et son aménagement intérieur est remarquable: mentionnons, en particulier, l'autel de 1629 de style baroque. Autour de la cathédrale se dresse l'ancien monastère de la cathédrale avec ses dépendances et le musée du district.

Der Ratzeburger See mit einer Fläche von 1.611 Hektar, ist das größte Gewässer im Naturpark Lauenburgische Seen. Er erstreckt sich südlich von Lübeck neun Kilometer entlang der Alten Salzstraße bis nach Ratzeburg. Im Sommer besteht auf dem See eine Schiffsverbindung mit Anlegestellen unter anderem in Kalkhütte am Ostufer sowie Buchholz und Groß Sarau.

Lake Ratzeburg, measuring 1611 hectares, is the largest body of water in the Lauenburgische Seen National Park. It extends nine kilometers south of Lübeck along the Alte Salzstrasse to Ratzeburg. In summer there is a boat connection on the lake with landing stages, for example, in Kalkhütte on the eastern shore as well as in Buchholz and Groß Sarau.

Le lac de Ratzeburg est, avec ses 1611 ha, la plus grande étendue d'eau de la réserve naturelle de Lauenburgische Seen. Il s'étend au sud de Lübeck sur neuf kilomètres, le long de la vieille route du sel, jusqu'à Ratzeburg. L'été, un bateau relie, entre autres, Kalkhütte sur la rive est, Buchholz et Groß Sarau.

Till Eulenspiegel, der auch im Tode seine Possen trieb, soll 1350 in Mölln gestorben sein. Ein Denkmal in Mölln erinnert an ihn. Hundert Jahre früher bildete sich an der Elbe die Schiffer- siedlung Lauenburg, wo noch heute mittelalterliche Häuser stehen.

Till Eulenspiegel, who also played his pranks after his death, is supposed to have died in Mölln in 1350. A memo- rial in Mölln is dedicated to him. A hundred years earlier the sailors' settle- ment of Lauenburg was established on the Elbe, and today there are still medieval houses standing there.

Till Eulenspiegel – Till l'Espiègle – qui, même mort, continuait à jouer de mauvais tours, serait mort à Mölln en 1350. Un monument lui est dédié. Cent ans plus tôt, la colonie de mariniers de Lauenburg s'était établie sur l'Elbe. On peut y voir, encore aujourd'hui, des maisons médiévales.

Das Schloß Ahrensburg, in den Jahren 1580 bis 1596 erbaut, gilt mit seinen vier Ecktürmen als gutes Beispiel der Spätrenaissance in Schleswig-Holstein. Das Innere wurde von der Familie v. Schimmelmann, die Kunst und Wohnkultur in besonderem Maße pflegte, im Jahre 1759 umgestaltet.

With its four corner towers Schloß Ahrensburg, built from 1580 to 1596, is considered to be a good example of late Renaissance architecture in Schleswig-Holstein. In 1759 the interior was redesigned by the von Schimmelmann family, which was particularly devoted to the arts and interior decoration.

La château d'Ahrensburg, construit entre 1580 et 1596, est considéré, avec ses quatre tours angulaires, comme une construction représentative de la fin de la Renaissance au Schleswig-Holstein. L'intérieur du château fut remanié en 1759 par la famille v. Schimmelmann, particulièrement dédiée à l'art et á la décoration intérieure.

Die Drostei in Pinneberg, Dienstsitz der dänischen Vögte, wurde 1765 gebaut. Es ist ein schloßartiges Gebäude, das nach 1867 lange Zeit die Wohnung der Landräte des Kreises Pinneberg war. Pinneberg ist eine Kreisstadt nordwestlich von Hamburg. Nördlichste Gemeinde des Kreises Pinneberg ist Helgoland.

The Drostei in Pinneberg, seat of the Danish governors, was built in 1765. It is a palace-like edifice that was the residence of the district administrators for a long time after 1867. Pinneberg is the chief town in the district northwest of Hamburg. Helgoland is the northernmost community of the district of Pinneberg.

La Drostei, à Pinneberg, siège des baillis danois, fut construite en 1765. Dans cet édifice qui ressemble à un château, logèrent, après 1867, les sous-préfets du district de Pinneberg. Pinneberg est un chef-lieu d'arrondissement au nord-ouest de Hambourg. La municipalité la plus septentrionale du district de Pinneberg est Helgoland.

Wo der Nordseewind pfeift

Glücksstadt liegt an der Elbe – nördlich von Hamburg; denn als Konkurrenz zu der Hansestadt war Glückstadt einmal gcdacht: Der dänische König Christian IV. (1577-1648) legte die Stadt an, die allerdings nie eine ernsthafte Konkurrenz zu Hamburg gewesen ist. Glückstadt ist eine gemütliche Kleinstadt, Fährhafen ins Niedersächsische, beliebt als Sportboothafen und berühmt für den Glückstädter Matjes.

Glückstadt is situated on the Elbe, north of Hamburg – in fact, it was once intended to compete with the Hanseatic city: the Danish king, Christian IV (1577-1648) laid out the city but it never became a serious competitor of Hamburg. Glückstadt is a small cozy city, a ferry port for reaching Lower Saxony, popular as a harbor for sporting boats and famous for its young herring (Glückstädter Matjes).

Glückstadt est située sur l'Elbe – au nord de Hambourg; elle devait être, en effet, la rivale de la ville hanséatique: le roi de Danemark, Christian IV (1577-1648), la fit construire mais elle ne représenta jamais une concurrence sérieuse pour Hambourg. Glücksburg est une agréable petite ville, port de ferry vers la Basse-Saxe et connue pour les „Glückstädter Matjes" (harengs vierges).

Nordöstlich von Glückstadt, an der in die Stör mündenden Krempau, liegt die kleine Stadt Krempe mit seinem sehenswerten Renaissance-Rathaus von 1570, in dem eine Sammlung der Alten Kremper Stadtgilde von 1541 besichtigt werden kann. An der Stör, südlich von Itzehoe, befindet sich das Schloß Breitenburg, das unter den Grafen zu Rantzau ein Zentrum des Humanismus für den Norden war. Die Bedeutung Breitenburgs, das von Wallenstein während des Dreißigjährigen Krieges zerstört und danach wiederaufgebaut wurde, liegt vor allem in seiner wertvollen Gemäldegalerie.

Northeast of Glückstadt, on the River Krempau, which flows into the Stör, is the small town of Krempe with its notable Renaissance Town Hall dating from 1570, in which a collection from the Old Krempe municipal guild from 1541 can be viewed. Schloß Breitenburg, a center of humanism for the north under the Rantzau counts, is located on the Stör, south of Itzehoe. The significance of Breitenburg, which was destroyed by Wallenstein during the Thirty Years' War and later rebuilt, is primarily due to its valuable painting gallery.

Au nord-est de Glückstadt, au bord de la rivière Krempau, affluent de la Stör, se trouve la petite ville de Krempe avec son remarquable hôtel de ville Renaissance de 1570. On peut y voir une collection sur la vieille gilde de la ville datant de 1541. Le château de Breitenburg qui, sous les comtes de Rantzau, devint un centre de l'humanisme en Allemagne du Nord, est situé sur la Stör, au sud d'Itzehoe. Breitenburg qui fut détruit par Wallenstein pendant la guerre de Trente Ans et reconstruit ensuite, se distingue avant tout par sa précieuse galerie de peintures.

Viele Fernwege führen nach Itzehoe, so daß sich die Stadt zu einem Handelszentrum entwickelte. Im dänisch-schwedischen Krieg (1657) wurde Itzehoe fast völlig eingeäschert. Sehenswert sind der Klosterhof und die Laurentiuskirche (1716), wie auch das Rathaus von 1695.

Many long-distance roads lead to Itzehoe so that the city developed into a trade center. During the Danish-Swedish War (1657) Itzehoe was almost completely reduced to ashes. Klosterhof, Laurentius Church (1716) and the Town Hall from 1695 are well worth seeing.

Itzehoe se trouve au croisement de nombreuses routes de sorte qu'elle devint un centre de commerce. Pendant la guerre de 1657 entre Danois et Suédois, Itzehoe fut totalement réduite en cendres mais elle fut reconstruite. Le monstère et l'église Laurentiuskirche de 1716 ainsi que l'hôtel de ville de 1695 sont remarquables.

Durch eine ungewöhnliche Architektur fällt das Theater in Itzehoe auf, das im Jahre 1992 an verkehrsgünstiger Stelle eröffnet wurde: Es befindet sich unmittelbar beim ZOB. Kulturbeflissene sollten auch den Prinzeßhof besuchen. Es ist ein Palais, in dem das Museum des Kreises Steinburg untergebracht ist. Es zeigt Gegenstände der Bauernkultur.

The theater in Itzehoe, which was opened at a very accessible location (in the immediate proximity of the bus terminal) in 1992, stands out because of its unusual architecture. Those keen on culture should also visit Prinzeßhof, a palace containing the museum of the district of Steinburg. It has objects of rural culture on display.

Le théâtre d'Itzehoe attire l'attention par son architecture inattendue. Il fut construit à un endroit facilement accessibles: le terminus de l'autobus. Les gens studieux devraient aussi visiter Prinzeßhof. C'est un palais dans lequel le musée du district de Steinburg a été aménagé. Il est dédié à la culture paysanne.

Das Alte Rathaus der Stadt Wilster, die zwischen Itzehoe und Brunsbüttel liegt, ist ein stattlicher Fachwerkbau, der auf einem massiven Sockel ruht. Das Haus wurde 1585 an einem Stadtarm des Flusses Wilsterau gebaut. Inzwischen ist die Wilsterau innerhalb der Stadt verrohrt. Im Alten Rathaus befinden sich Sammlungen zur Heimatgeschichte.

The Old Town Hall in Wilster, a town situated between Itzehoe and Brunsbüttel, is a stately half-timbered edifice supported on a massive base. The building was constructed on a branch of the River Wilsterau. In the meantime the Wilsterau has been diverted into a piping system within the town. Collections on local history can be seen in the Old Town Hall.

Le vieil hôtel de ville de Wilster, localité située entre Itzehoe et Brunsbüttel, est un imposant édifice à colombages qui repose sur un socle massif. Cet édifice fut construit en 1585 au bord d'un bras de la rivière Wilsterau mais à présent la Wilsterau coule dans un système de canalisations souterraines. Dans le vieil hôtel de ville se trouvent des collections sur l'histoire du terroir.

An der schleswig-holsteinischen Westküste

Brunsbüttel, am Nordsee-Eingang des Nord-Ostsee-Kanals gelegen, ist eine Stadt der Gegensätze. Auf den Deichen rupfen Schafe das Gras kurz und werfen gelegentlich flüchtige Blicke auf den Kanal mit den großen Schiffen. Leuchttürme sichern die Schiffahrtswege an der Küste. Das Deichvorland wurde mit einigen „Kubuskoogen" in eine Kunstausstellung verwandelt. Aalreusen warten auf fette Beute. Großschiffahrt, Sportboote und Kutter, die in der Abenddämmerung auf Fangreise gehen, kommen gut miteinander aus und runden das Bild von einer tätigen Hafenstadt ab.

Brunsbüttel, located at the North Sea entrance of the Kiel Canal, is a city of contrasts. On the dikes sheep graze, keeping the grass short, with an occasional glance at the large ships on the canal. Lighthouses safeguard the shipping channels along the coast. The land to the seaward side of the dikes was transformed into an art exhibition with the help of so-called "cubic polders". Eel traps wait for juicy prey. Large ships, sporting boats and cutters that set off to catch fish at dusk go well together and complete the picture of an active port.

Brunsbüttel est situé sur le canal de Kiel, à l'extrémité qui débouche dans la mer du Nord. C'est une ville de contrastes. Sur les digues les moutons, en broutant, garde l'herbe rase tout en jetant, de temps à autre, des regards fugaces vers le canal et ses bateaux. Des phares assurent la sécurité de la navigation sur la côte. La terre située devant la digue a été transformée en une exposition d'art avec quelques „Kubuskoogen". Les nasses à anguilles attendent un gras butin. Les grands navires, les bateaux de sport et les chalutiers qui partent à la pêche dans le crépuscule, font bon ménage et complètent la physionomie d'une ville portuaire active.

Einer der Anziehungspunkte in dem Fischer- und Badeort Friedrichskoog, der 1853 gegründet wurde, ist die Seehund-Aufzuchtstation. In ihr leben junge Seehunde, die im Watt ohne Mutter gefunden wurden und an der Küste „Heuler" genannt werden. Sie werden hier auf die Freiheit in der Nordsee vorbereitet.

One of the attractions in the fishing and seaside town of Friedrichskoog, established in 1853, is the seal-raising station. That is where young seals live that were found in the wadden seas without a mother and are called "Heuler" (wailers) on the coast. Here they are prepared for living on their own in the North Sea.

L'une des attractions de Friedrichskoog – station balnéaire et village de pêcheur – est la station d'élevage des phoques, fondée en 1853. De jeunes phoques trouvés dans le Watt sans leur mère et appelés „Heuler" sur la côte, y ont été reccueillis. On les y prépare à la liberté dans la mer du Nord.

Friedrichskoog liegt an der Nordwest-spitze der Süderdithmarscher Koog-landschaft, die sich vor der Stadt Marne erstreckt. Der Ort, der sich auch einen Namen als Badeort macht, ist vor allem bekannt durch seinen Fisch-kutterhafen mit Seeschleuse, in dem auch Kutter aus anderen Häfen an der Nordsee festmachen und ihre Fänge abliefern.

Friedrichskoog is situated on the northwest tip of the Süderdithmarschen polder landscape, which stretches past the town of Marne. Friedrichskoog has also made a name for itself as a seaside resort and is mainly known for its fishing cutter harbor with a sea lock in which cutters from other ports on the North Sea also make fast and deliver their catches.

Friedrichskoog est situé à la pointe nord-ouest de la région formée de „Koog" qui s'étend devant Marne. Nous sommes ici dans le sud de Dithmarschen. Cette localité qui s'est fait un nom comme station blanéaire est connue avant tout pour son port de chalutiers avec ses écluses sur la mer. Des chalutiers venant d'autres ports de la mer du Nord accostent et livrent ici leur cargaison.

Die bedeutendste Kirche an der schleswig-holsteinischen Westküste ist der Meldorfer Dom aus dem 13. Jahrhundert. Die Kirche, eine gotische Gewölbebasilika, besticht durch ihr mächtiges Kuppelgewölbe. Meldorf war einst – von 1227 bis 1447 – Hauptstadt des freien Dithmarscher Bauernstaates.

The most notable church on the Schleswig-Holstein's western coast is the 13th-century cathedral in Meldorf. The church is a Gothic vaulted basilica and stands out because of its mighty cupola. Meldorf was once – from 1227 to 1447 – the capital of the free Dithmarschen farmers' state.

L'église la plus importante de la côte ouest du Schleswig-Holstein est la cathédrale de Meldorf du 13e siècle. Cette basilique gothique est surmontée d'une puissante coupole. Meldorf était jadis – de 1227 à 1447 – la capitale de l'état paysan libre de Dithmarschen.

Diese Brücke ist eine von insgesamt zehn Hochbrücken, die den Nord-Ost-see-Kanal überqueren. Außerdem gibt es noch zwei Tunnel bei Rendsburg und viele Kanalfähren. Der Nord-Ostsee-Kanal ist der drittgrößte Groß-schiffahrtskanal der Welt. Er wurde 1895 eröffnet und heißt heute international „Kiel Canal".

This bridge is one of ten that cross the Kiel Canal. In addition, there are two tunnels near Rendsburg and numerous canal ferries. The Kiel Canal is the third largest canal for large-scale shipping in the world and was opened in 1895.

Cette pont de est l'un des dix ponts surélevés qui enjambemt le canal de Kiel. Il y a, en outre, deux tunnels près de Rendsburg et de nombreux ferries. Le canal de Kiel est le troisième du monde pour la navigation des gros bateaux. Il fut mis en service en 1895. Il est connu internationalement sous le nom de „canal de Kiel".

Im Hafen von Büsum machen immer wieder interessante Schiffe fest – nicht nur Fischkutter, so daß der Hafen, in dem durch ein Sturmflutsperrwerk stets ein gleichbleibender Wasserstand herrscht, auch für Büsum-Urlauber ein Treffpunkt ist. Überragt wird der Hafen vom Büsumer Leuchtturm, der schwarz-rot-weiß geringelt und 25 Meter hoch ist.

Interesting ships can always be seen in the port of Büsum – not only fishing cutters. This has made the harbor, dominated by a storm tide dam that maintains a constant water level, a meeting point for Büsum visitors, too. Büsum's lighthouse, with black, red and white stripes and a height of 25 meters, towers over the harbor.

Dans le port de Büsum il y a toujours des bateaux intéressants qui accostent – et pas seulement des chalutiers – de sorte que le port dans lequel le niveau de l'eau est gardé constant par un barrage, est un lieu de rencontre pour les vacanciers. Le port est dominé par le phare de Büsum, rayé noir, rouge et blanc. Il mesure 25 mètres de haut.

Wer in Büsum Urlaub macht hat die Wahl zwischen Grün- und Sandstrand. Beide Strände locken mit Strandkörben, in denen man sich – je nach Wetter – sonnen oder vor dem Wind schützen kann. Beliebt ist die Promenade unmittelbar am Wasser – mit Blick auf die Nordsee. Und wer bei jedem Wetter schwimmen will: Es ist nicht weit zum Meerwasser-Wellenbad.

Those who spend their vacation in Büsum can choose between a green and a sandy beach. Both beaches are inviting spots with wicker beach chairs in which you can sunbathe or remain protected from the wind – depending on the weather. The promenade situated right at the water with a view of the North Sea is also popular. And for those who want to swim in any weather: the seawater swimming pool with mechanically induced waves is not far away.

Les vacanciers ont le choix, à Büsum, entre la „plage verte" et la plage de sable: toutes deux sont également attirantes avec leurs guérites dans lequelles on peut se protéger du soleil ou du vent, selon la température. La promenade, construite tout au bord de l'eau, avec vue sur la mer du Nord, est très populaire. Qui veut nager peut le faire par tous les temps. La piscine d'eau de mer et à vagues n'est pas loin.

Wassertürme gehören häufig zu den Sehenswürdigkeiten der Städte. Und das trifft ebenfalls für den Wasserturm von Heide in Dithmarschen zu: Dort ist der Turm ein Schmuckstück, wie auch die St. Jürgen-Kirche aus dem 15. Jahrhundert. Im sehenswerten Innenraum, unter anderem, ein Barockaltar von 1699.

Water towers frequently number among the city sights. This also applies to the water tower in Heide in the Dithmarschen region: the tower there is a gem, as is the 15th-century St. Jürgen Church, whose interior contains, among other things, a baroque altar from 1699.

Les châteaux d'eau sont souvent des attractions dans les villes où ils se trouvent, c'est le cas également du château d'eau de Heide dans le Dithmarschen: c'est un véritable bijou. Il en va de même pour l'église St. Jürgen du 15e siècle. L'intérieur où il y a, entre autres, au autel baroque de 1699, est remarquable.

Deutschland gehört nicht zu den Ländern mit großen Erdöl-Raffineriekapazitäten, so haben denn Bilder von Erdölraffinerien in deutschen Landschaften Seltenheitswert. Eines dieser Bilder bietet sich in Hemmingstedt bei Heide, wo im Jahre 1500 ein Dithmarscher Bauernheer ein zahlenmäßig überlegenes Heer der Dänen und Schleswig-Holsteiner schlug. Die Erdölraffinerie von Hemmingstedt, durch Pipelines mit dem Hafen von Brunsbüttel und den ostholsteinischen Erdölfeldern verbunden, verarbeitet größtenteils importiertes Erdöl.

Germany is not a country with large oil refinery capacities so that views of oil refineries in German landscapes have a rarity value. One of these views is provided in Hemmingstedt near Heide where in 1500 an army of Dithmarschen farmers defeated a numerically superior army of Danes and Schleswig-Holsteiners. The oil refinery in Hemmingstedt, which is linked to the Brunsbüttel harbor and the east Holstein oil fields by pipelines, largely processes imported oil.

L'Allemagne est un pays où l'on raffine relativement peu de pétrole si bien que les images de raffineries, dans le paysage allemand, présentent l'intérêt de la rareté. L'une de ces images s'offre à nos yeux à Hemmingstedt près de Heide où, en 1500, une armée de paysans de Dithmarschen vainquit une armée de Danois et d'Allemands du Schleswig-Holstein, bien supérieure à la leur en nombre. La raffinerie d'Hemmingstedt qui est reliée par des pipe-lines au port de Brunsbüttel et aux champs pétrolifères de l'est du Holstein, traite surtout du pétrole importé.

Das Eidersperrwerk im Mündungstrichter der Eider regelt den Wasserstand des Flusses. Es wurde 1973 fertiggestellt und verkürzt die Nordseedeichlinie um 62 Kilometer. Das Sperrwerk, das eine Durchflußbreite von 200 Metern hat, ist eines der größten Küstenschutzbauwerke Europas und gilt als ein Meisterwerk der Technik. Die Eider war schon im frühen Mittelalter cin Schiffahrtsweg zwischen der Ostsee und den Britischen Inseln. Von 1035 bis ins 19. Jahrhundert bildete der Fluß die Nordgrenze des Heiligen Römischen Reiches Deutscher Nation.

The Eider dam in the estuary of the Eider River regulates the river's water level. It was completed in 1973 and shortens the North Sea dike line by 62 kilometers. The dam has a flow with of 200 meters and, as one of the largest coastal protection structures in Europe, is regarded as a masterpiece of engineering. In thc early Middle Ages the Eider was a shipping route between the Baltic Sea and the British Isles. From 1035 to the 19th century the river formed the northern boundary of the Holy Roman Empire of the German Nation.

Le barrage sur l'Eider dans l'entonnoir de l'embouchure de l'Eider régularise le niveau de l'eau dans le fleuve. Il fut terminé en 1973 et raccourcit la ligne de digues sur la mer du Nord de 62 kilométres. Il traverse le fleuve sur une longueur de 200 mètres et c'est l'un des plus grands travaux de protection des côtes en Europe. Il est considéré comme un chef-d'oeuvre de la technique. L'Eider était déjà, au début du Moyen Age, une voie de navigation entre la Baltique et les îles Britanniques. De 1035 au 19e siècle ce fleuve servait de frontière septentrionale au Saint Empire Romain Germanique.

Halbinsel Eiderstedt

Das Katinger Watt ist eine eingedeichte Wattfläche am Eiderstedter Ufer der Eider zwischen Tönning, Kating und dem Eidersperrwerk. Das Katinger Watt entwickelt sich zu einem Erholungs- und Vogelschutzgebiet. Der hölzerne Aussichtsturm bietet einen weiten Rundblick.

Katinger Watt is a diked wadden sea area along the Eiderstedt bank of the Eider between Tönning, Kating and the Eider dam. Katinger Watt is developing into a recreational area and bird preserve. The wooden observation tower offers an expansive panoramic view.

Le Katinger Watt est une surface de Watt qui a été endiguée sur la rive de l'Eider, dans l'Eiderstedt – entre Tönning, Kating et le barrage sur l'Eider. Le Katinger Watt est devenu une région de vacances et un site de protection des oiseaux. De la tour panoramique de bois, la vue s'étend au loin.

Schafe sind an der Westküste Schles-wig-Holsteins beliebte „Grasmäher", die obendrein die Deiche festtrampeln, Daß sie als Deichlamm so manche Speisekarte besserer Restaurants zie-ren, steht auf einem anderen Blatt.

Sheep are popular "lawnmowers" along Schleswig-Holstein's western coast and they additionally tread down the dikes, keeping them firm. The fact that they appear on the menu of better restaurants as dike lamb is another story.

Les moutons sur la côtes ouest du Schleswig-Holstein sont des „tondeu-ses à gazon" très appréciées d'autant plus qu'ils tassent la terre des digues en la piétinant. Ils apparaissent aussi sur le menu des meilleurs restaurants sous le nom „d'agneau des digues", mais ceci est une autre histoire.

Das Bemerkenswerte an St. Peter-Ording ist ohne Frage der weite Strand, der auf einer zwölf Kilometer langen Sandbank liegt. Schon von weitem ist der Strand zu erkennen an den Pfahlbauten, in denen sich unter anderem Gaststätten befinden. Eines der Wahrzeichen der schleswig-holsteinischen Nordseeküste ist der mehr als 90 Jahre alte Leuchtturm von Westerhever, der 37 Meter hoch ist.

The most remarkable thing about St. Peter-Ording is undoubtedly its expansive beach, situated on a twelve-kilometer-long sandbank. The beach is visible from afar due to the pile structures that support restaurants, among other things. One of the landmarks of the North Sea coast in Holstein is the over 90-year-old lighthouse in Westerhever that is 37 meters high.

La caractéristique la plus remarquable de St. Peter-Ording est, sans aucun doute, la vaste plage qui s'étend sur un banc de sable long de 12 kilomètres. De loin, déjà, l'on reconnaît la plage à ses édifices sur pilotis parmi lesquels il a y aussi des restaurants. L'un des emblèmes de la côte ouest du Schleswig-Holstein est le phare de Westerhever, haut de 37 mètres.

Mitten auf der Halbinsel Eiderstedt liegt Garding mit seiner sehenswerten Backsteinkirche, die 1117 erbaut wurde. In Garding wurde der Historiker Theodor Mommsen (1817-1903) geboren. Sein Geburtshaus befindet sich im Haus Markt 6.

In the middle of the Eiderstedt peninsula lies Garding with its notable brick church that was built in 1117. The historian, Theodor Mommsen (1817-1903), was born in Garding. The address of his house of birth is Markt 6.

Au centre de la presqu' île d'Eiderstedt se trouve Garding avec sa remarquable église de brique, construite en 1117. L'historien Theodor Mommsen (1817-1903) naquit ici. Sa maison natale se trouve au no 6 de la place du Marché.

Die St. Laurentius-Kirche in Tönning geht auf das 12. Jahrhundert zurück. Mit ihrem schlanken dreifach geschweiften Helm ist sie seit 1706 schon von weitem zu erkennen. Die Backsteingiebelhäuser tragen zur Gemütlichkeit der Stadt bei.

St. Laurentius Church in Tönning dates back to the 12th century. By virtue of its slender helm roof with three curves (dating from 1706), it can be easily recognized from afar. The brick gabled houses contribute to the coziness of the town.

L'égise St. Laurentius à Tönning remonte au 12e siècle. Depuis 1706 on peut facilement la reconnaître de loin avec son clocher coiffé d'un mince dôme en trois parties. La ville est empreinte d'une atmosphère agréable à laquelle contribuent les maisons de brique à pignon.

Auch im malerischen Hafen von Tönning stehen Backsteinhäuser, die liebevoll restauriert worden sind. Im Hafen, in dem sich eine holländische Holzbrücke befindet, liegen vor allem Sportboote, aber auch Fischkutter. Tönning hat sich aus einer Wikinger-siedlung entwickelt.

In Tönning's picturesque harbor there are also brick houses that have been lovingly restored. Primarily sporting boats and fishing cutters are moored in the harbor, which contains a Dutch wooden bridge. Tönning developed out of a Viking settlement.

Il y a aussi des maisons de brique restaurées avec amour dans le port pittoresque de Tönning, de même qu'un pont de bois hollandais. Ce sont surtout des bateaux de plaisance qui sont ancrés dans ses eaux mais, parmi eux, se trouvent aussi des chalutiers. Tönning était à l'origine une colonie de peuplement viking.

Die evangelische Kirche von Tönning, die im 12. Jahrhundert dem heiligen Laurentius geweiht wurde, ist im Innern reich ausgestattet. Dazu gehören die Ausmalung des Tonnengewölbes, der Emporen-Ausbau der auf drei ionischen Holzsäulen ruht und die drei Gemäldeepitaphien von J. Ovens.

The Protestant church in Tönning, which was consecrated to St. Laurentius in the 12th century, has a richly furnished interior. This includes the painting work on the barrel vaulting, the expanded gallery supported by three wooden Ionic columns and the three painting epitaphs by J. Ovens.

L'église évangélique de Tönning fut consacrée au 12e siècle à saint Laurent. L'intérieur est richement ornementé: peinture de la voûte en berceau, extension des galeries qui repose sur trois colonnes ioniques et trois peintures épitaphes de J. Ovens.

Bei Simonsberg liegt der „Rote Haubarg", ein Bauernhaus-Typ, den einst
die Holländer mit ins Land brachten.
Es ist ein auf einer Warft errichtetes
Bauernhaus mit einem hohen Reet-
dach, unter dem in der Mitte Heu
gestapelt wurde – es war der Ort, an
dem man das Heu barg, während
Wohnteil und Stallung getrennt um
diesen Kern gruppiert sind.

Near Simonsberg one can find the
"Rote Haubarg", a type of farmhouse
that the Dutch once brought into the
country. It is a farmhouse built on an
elevation with a high thatched roof,
under which hay was stacked in the
middle. This was where hay was kept
while the residential section and the
separate section for animals were
grouped around this core.

Près de Simonsberg se trouve la „Rote
Haubarg", un type de construction
paysanne que les Hollandais
introduisirent jadis dans ces régions.
C'est un édifice construit sur un
„Warft" avec un haut toit de roseaux
sous lequel, dans le milieu, on
empilait le foin. Il servait donc de fenil
tandis que maison d'habitation et
étables étaient groupées autour de ce
noyau.

Der Marktbrunnen von Friedrichstadt ist eines der Wahrzeichen des Ortes, der zu Beginn des 17. Jahrhunderts von dem Gottorfer Herzog Friedrich III. für niederländische Glaubensflüchtlinge planmäßig angelegt wurde. Die Stadt, in der noch Treppengiebelhäuser der einstigen holländischen Kaufleute stehen, galt als religiöse Freistatt: Zeitweilig lebten sieben Religionsgemeinschaften nebeneinander in Friedrichstadt.

The market fountain in Friedrichstadt one of the landmarks of the city, which was laid out according to plans drawn up by Duke Friedrich III from Gottorf for religious refugees from the Netherlands at the beginning of the 17th century. The city, which still displays stepped gable houses of the Dutch merchants that once lived here, was considered a place of religious freedom: at times seven religious communities lived next to one another in Friedrichstadt.

La fontaine du Marché de Friedrichstadt est l'un des emblèmes de cette ville qui fut créée au début du 17e siècle, selon un plan préétabli, par le duc Friedrich III de Gottorf, pour des Hollandais persécutés pour leur foi. Friedrichstadt où les maisons aux pignons en escalier des marchands hollandais existent toujours, était considérée comme une ville libre en matière de religion: A certaines époques sept communautés religieuses différentes y vécurent côte à côte.

Friedrichstadt, an der Treene gelegen, ist Klein-Amsterdam. Die Stadt wird von Gräben durchzogen, wie Amsterdam von Grachten. Doch der Wunsch des Gottorfer Herzogs Friedrich III., daß Friedrichstadt – wie Amsterdam – sich zu einem großen Nordseehafen entwickeln würde, ging nicht in Erfüllung. Viele Holländer kehrten in ihre Heimat zurück. Von allen Plänen blieb eine freundliche Stadt mit romantischen Winkeln.

Friedrichstadt, situated on the Treene River, is Little Amsterdam. Ditches crisscross the city like the canals in Amsterdam. However, the wish expressed by Duke Friedrich III that Friedrichstadt would develop into a large North Sea port, like Amsterdam, did not materialize. Many Dutch people returned to their home. Leftover after all the plans was a friendly city with romantic nooks and crannies.

Friedrichstadt, située sur la Treene est une Amsterdam en miniature. Elle est traversée de canaux tout comme Amsterdam l'est de „Grachten". Pourtant le souhait du duc Frédéric III de Gottorf que Friedrichstadt, comme Amsterdam, devienne un grand port sur la mer du Nord, ne se réalisa pas. Beaucoup de Hollandais retournèrent dans leur pays. De tous ces projets il reste une ville aimable aux recoins romantiques.

Der Schloßpark von Husum wird in jedem Frühjahr von vielen Menschen besucht, die sich an der Krokus-Blüte erfreuen. Ein großer sanft-violett-farbener Blütenteppich bedeckt dann den Rasen. Warum das so ist? Vielleicht sind die Krokusse eine Hinterlassenschaft der Franziskaner-Mönche, die hier, vor dem Bau des Schlosses, im 15. Jahrhundert ein Kloster unterhielten – mit einem Garten. In ihm zogen sie Krokusse, um daraus Safran zu gewinnen, den sie zum Färben der liturgischen Gewänder benötigten.

Every spring Schloßpark in Husum is visited by many people who enjoy the crocus blossoms. A large, delicate violet carpet of flowers then covers the grass. Why? Perhaps the crocuses are a legacy of the Franciscan monks who maintained a monastery with a garden here in the 15th century, before construction of the palace. In the garden they grew crocuses to obtain saffron, which they needed to dye their liturgical robes.

Chaque année, au printemps, de nombreux visiteurs viennent voir les crocus en fleur du parc du château d'Husum. La terre se couvre alors d'un tapis d'un doux violet. Pourquoi cela? Peut-être ces crocus sont-ils un héritage du monastère franciscain qui se trouvait ici, au 15e siècle, avant la construction du château. Les moines faisaient pousser des crocus pour récolter du safran qu'ils utilisaient pour teindre des vêtements liturgiques.

An dem Platz des einstigen Franzis-kanerklosters wurde in den Jahren 1576 bis 1582 in Husum ein Schloß der Herzöge von Gottorf erbaut, das 1752 erheblich verändert wurde. Lange diente es als Witwensitz. Auch Herzogin Marie Elisabeth, die als Kapazität auf dem Gebiet der Zuckerbäckerei bekannt war, und Ende des 17. Jahr-hunderts auf dem Schloß lebte, könnte in ihrem Garten, den vorher die Mön-che bewirtschaftet hatten, Krokusse angepflanzt haben, um Safran für ihre Zuckerbäckerei zu gewinnen.

From 1576 to 1582 a palace for the Gottorf dukes was built in Husum at the site of the former Franciscan monastery. It was significantly modi-fied in 1752 and served for a long time as a residence for widows. Duchess Marie Elisabeth, who was known as an expert in making confectionery and lived in the palace at the end of the 17th century, may also have planted crocuses in the garden once cultivated by the monks in order to obtain saffron for her confectionery.

Le château des ducs de Gottorf, à Husum, fut construit entre 1576 et 1582 à l'emplacement du monastère franciscain. Il subit d'importantes transformations en 1752 et servit longtemps de résidence pour les veuves. La duchesse Marie qui était connue pour sa compétence dans le domaine de la confiserie et qui vivait au château à la fin du 17e siècle, aurait pu planter des crocus dans l'ancien jardin des moines pour obtenir du safran pour sa confiserie.

Husum, die „graue Stadt am Meer", wie sie der dort geborene Dichter Theodor Storm liebevoll nannte, gehört zu den Kleinoden unter den schleswig-holsteinischen Städten. Sehenswert ist die Marienkirche am Markt, die 1832 gebaut wurde und ein Hauptwerk des Klassizismus im Lande ist. Bemerkenswert sind aber auch die vielen gemütlichen Straßen der Stadt.

Husum, the "gray town on the sea", as it was endearingly called by writer Theodor Storm, who was born there, is one of the gems in Schleswig-Holstein. Marienkirche, which was built in 1832 and is a major work of classicism in the region, is well worth seeing. The many pleasant streets of the town are also notable.

Husum, la „ville grise sur la mer", comme l'appelait affectueusement le poète Theodor Storm qui y naquit, est un joyau parmi les villes du Schleswig-Holstein. La Marienkirche sur le Markt est remarquable. Elle fut construite en 1832 et est une oeuvre maîtresse du classissisme dans ce pays. Il faut mentionner aussi les nombreuses rues de la ville qui dispensent une atmosphère de bien-être.

Mit stimmungsvollen Partien wartet der Husumer Hafen auf, der sich in die Stadt hinein schiebt. Nicht weit vom Hafen befindet sich die Straße Wasserreihe, wo das Geburtshaus des Dichters Theodor Storm (1817-1888) steht. Es kann besichtigt werden.

Husum's harbor is an integral part of the town and offers attractive views. Not far from the harbor is the street Wasserreihe with the house where Theodor Storm (1817-1888) was born. It is open to visitors.

Le port de Husum qui pénètre profondément dans la ville offre des aspects pleins de poésie. Non loin du port se trouve la rue Wasserreihe où se dresse la maison natale de l'écrivain Theodor Storm (1817-1880). Elle peut être visitée.

Bredstedt, ein alter Handwerker- und Handelsort, ist im Kern eine Einstraßenanlage, die sich in der Mitte zum Marktplatz weitet. Dort befindet sich eine Apotheke in einem Haus von 1611, vor dem zwei hohe Beischlagwangen aus Granit (1626) stehen.

Bredstedt, an old trading and craft trades town, is basically a one-street complex that opens up to the marketplace in the center. There you can find a pharmacy in a building dating from 1611, in front of which two high portico walls made of granite (1626) stand.

Bredstedt est une antique ville de commerce et d'artisanat. Elle est formée, pour l'essentiel, d'une seule rue qui s'élargit pour former la place du Marché. Sur cette place, une maison datant de 1611, occupée à présent par une pharmacie, précédée de deux hauts limons de granit de 1626.

Das landschaftlich reizvolle Langenhorn liegt östlich der großen Köge
zwischen Bredstedt und Niebüll.
Sehenswert in Langenhorn sind die
Reetdachhäuser und die Kirche mit
dem hölzernen Glockenturm von
1735.

Langenhorn is surrounded by lovely
countryside east of the large polders
between Bredstedt and Niebüll. The
thatched houses and the church with
the wooden belfry from 1735 are
worthwhile seeing.

Langenhorn est située dans un
paysage charmant, à l'est des grandes
„Köge", entre Bredstedt et Niebüll.
Les maisons aux toits de roseaux et
l'église au clocher de bois de 1735
sont remarquables.

Zwischen Langenhorn und Bredstedt liegt der 44 Meter hohe Stollberg, auf dem ein Fernmeldeturm steht. Wegen der herrlichen Aussicht, die man von dort aus genießen kann, wird der Berg als „Balkon Nordfrieslands" bezeichnet.

Between Langenhorn and Bredstedt lies the 44-meter-high Stollberg with its telecommunications tower. Because of the marvelous view that it affords, the hill is also called the "balcony of North Frisia".

Entre Langenhorn et Bredstedt se trouve le mont Stollberg, haut de 44 mètres, sur le sommet duquel se dresse une tour de télécommunication. On l'a surnommé le balcon de la Frise du Nord à cause de la magnifique vue que l'on a de son sommet.

In den Jahren 1958/59 wurde der Hauke-Haien-Koog mit seinen großen Speicherbecken eingedeicht. Köge sind dem Meer abgewonnenes, eingedeichtes Land, dessen erste „Bewohner" Schafe sind – und gelegentlich Badegäste.

The Hauke-Haien polder with its large storage basins was diked in 1958/59. Polders are sections of diked land reclaimed from the sea whose primary "residents" are sheep – and occasionally bathers.

Hauke-Haien-Koog, avec ses grands réservoirs d'eau, fut endigué en 1958/59. Les „Köge" sont des terres endiguées qui sont gagnées sur la mer et dont les premiers „habitants" sont les moutons – et parfois les baigneurs.

Die kleinen Fährhäfen Dagebüll und Schlüttsiel sind die letzten Festlandstationen auf dem Weg zu den Halligen, die längst kein Geheimtip mehr für Feriengäste sind, die einen ruhigen Urlaub verleben wollen.

The small ferry ports of Dagebüll and Schlüttsiel are the last mainland stations on the way to the "Hallige", the small islands that have long ceased to be an inside tip for visitors looking for a quiet vacation.

En route pour les Halligen, les petits ports de ferry de Dagebüll et de Schlüttsiel sont les dernières stations sur la terre ferme. Depuis longtemps déjà les Halligen ne sont plus un „tuyau" confidentiel pour les vacanciers qui désirent passer des vacances calmes.

Die Halligen, Föhr und Amrum

Die Welt der Halligen vor der Küste zieht immer mehr Feriengäste an. Zehn Inseln machen diese Welt aus: Südfall, Süderoog, Norderoog, Hooge, Nordmarsch-Langeneß, Oland, Gröde-Appelland, Habel, Nordstrandischmoor und die Hamburger Hallig. Norderoog und Habel sind unbewohnt. Die bekanntesten Ferieninseln sind Hooge, Langeneß und Oland.

The world of the "Hallige", the small islands off the coast, attracts increasing numbers of holiday-makers. Ten islands make up the world of the "Halligen": Südfall, Süderoog, Norderoog, Hooge, Nordmarsch-Langeneß, Oland, Gröde-Appelland, Habel, Nordstrandischmoor and Hamburger Hallig. Norderoog and Habel are uninhabited. The best-known vacation islands are Hooge, Langeness and Oland.

Le monde des Halligen, devant la côte, attire toujours plus de vacanciers. Il est composé de dix îles: Südfall, Süderoog, Norderoog, Hooge, Nordmarsch-Langeneß, Oland, Gröde-Appelland, Habel, Nordstrandischmoor et Hamburger Hallig. Norderoog et Habel sont inhabitées. Les îles les plus connues comme lieux de vacances sont Hooge, Langeneß et Oland.

Halligen sind eingedeichte Inseln im Wattenmeer die einst zum Festland ge- hörten. Die Häuser stehen auf Warften, auf künstlich aufgeworfenen Hügeln. Bei Sturmflut kommt das Wasser dort bis an die Haustür, und der Wetterbe- richt meldet dann für die Halligen: „Land unter". Zwischen den Halligen soll einst die versunkene Stadt Rung- holt gelegen haben.

"Halligen" are diked islands in the wadden seas that once belonged to the mainland. The houses are built on artificially created mounds or hills. At storm tide the water comes all the way to the front door, and then the weather report for the „Halligen" is: "Land under". The submerged town of Rungholt is supposed to have been located somewhere between the "Halligen".

Situées dans la mer des Watten, les Halligen sont des îles protégées par des digues. Elles faisaient jadis partie de la terre ferme. Les maisons y sont construites sur des „Warften", des collines artificielles. Pendant les raz- de-marée l'eau y monte jusqu'aux portes des maisons et le bulletin météorologique pour les Halligen annonce alors: „terre dessous". La ville engloutie de Rungholt aurait été située quelque part entre ces îles.

Walknochen waren und sind Symbol der Insel Föhr, wo einst Kommandeure und Steuerleute der Walfänger wohnten. Heute stehen Walknochen am Eingang des Friesenmuseums in Wyk auf Föhr, das 1908 von Dr. Häberlin gegründet wurde und in dem die Kultur der Insel lebendig gehalten wird.

Whale bones were and still are a symbol of the island of Föhr, where captains and first mates of the whaling ships once lived. Today whale bones stand at the entrance to the Frisian Museum, which was established by Dr. Häberlin in Wyk auf Föhr in 1908 and where the island's culture is kept alive.

Les os de balcine étaient et sont encore le symbole de l'île de Föhr où, jadis, habitaient les commandants et les timoniers des baleiniers. Maintenant il y a des os de baleine devant l'entrée du musée de Frise à Wyk sur Föhr. Il fut fondé en 1908 par le docteur Häberlin. La culture de l'île y est gardée bien vivante.

Zentrum der Insel Föhr ist das Städt-
chen Wyk, das vor 150 Jahren Som-
merresidenz des dänischen Königs
Christian VIII. war. Ein bißchen spürt
man noch heute den königlichen
Glanz – vor allem in der Innenstadt,
wo Geschäfte, Cafés und Restaurants
für ein buntes Leben sorgen.

The center of the island of Föhr is
Wyk, the small town that was the
summer residence of the Danish king,
Christian VIII, 150 years ago. A touch
of the royal flair still exists – especially
in the center of town where shops,
cafés and restaurants provide for a
lively atmosphere.

La petite ville de Föhr qui était, il y a
150 ans, la résidence d'été du roi de
Danemark, Christian VIII, est le centre
de l'île de Föhr. De nos jours un petit
quelque chose de la splendeur royale
subsiste, surtout dans le centre-ville
où les magasins, les cafés et les
restaurants apportent vie et couleur.

Fährschiffe ziehen vorüber – an dem feinsandigen Strand von Wyk auf Föhr, wo man in Strandkörben die Ruhe genießen kann. Nichts jedenfalls deutet daraufhin, daß nicht weit entfernt der Hafen von Wyk liegt, wo die Fährschiffe vom Festland und von der Insel Amrum festmachen.

Ferry boats pass by the fine-sand beach of Wyk auf Föhr, where you can enjoy the peace and quiet in wicker beach chairs. In any case, there is nothing that indicates the proximity of Wyk's harbor with the ferry boats from the mainland and from the island of Amrum.

Les ferries passent devant la plage de sable fin de Wyk où l'on peut jouir du calme dans une guérite de plage. Rien, en tout cas, ne laisse deviner qu'à une faible distance, se trouve le port de Wyk où les ferries venant de la terre ferme et d'Amrum accostent.

Eines der schönsten Dörfer auf Föhr ist Nieblum. Dort stehen viele Friesenhäuser mit ihren Reetdächern und der stattliche Friesendom: Die Kirche, dem heiligen Johannis geweiht, ist ein Backsteinbau aus dem 12. Jahrhundert, der über nahezu tausend Sitzplätze verfügt.

Nieblum is one of the loveliest villages on Föhr. There are many Frisian houses with thatched roofs and the stately Frisian cathedral: the church was consecrated to St. John and is a 12th-century brick structure that has nearly a thousand seats.

L'un des plus beaux villages de l'île de Föhr est Nieblum. On y trouve de nombreuses maisons frisonnes au toit de roseaux et l'imposante „cathédrale de Frise": cette église dédiée à saint Jean est un édifice de brique dans lequel il y a près de mille places assises. Il date du 12e siècle.

Wie auf Föhr, so lebten auch auf Amrum viele Seeleute, die im Walfang ihren Lebensunterhalt verdienten. Ihre Geschichten werden auf Grabsteinen erzählt, die zum Beispiel auf dem Kirchhof der St.-Clemens-Kirche in Nebel auf Amrum stehen.

As on Föhr, many seamen who earned their living through whaling lived on Amrum. Their histories are written on gravestones, such as those at the cemetery of St. Clemens Church in Nebel on Amrum.

A Amrum, tout comme à Föhr, vivaient de nombreux marins qui gagnaient leur vie en pêchant la baleine. Leur histoire est racontée sur les pierres tombales, celles, par exemple, du cimetière de l'église de St. Clemens, à Nebel, sur l'île d'Amrum.

Die St.-Clemens-Kirche in Nebel wurde 1240 erstmals erwähnt. Nebel, mitten auf Amrum gelegen, hat seinen dörflichen Charakter bewahrt. Sein Name hat allerdings nichts mit dem Nebel zu tun. Nebel bedeutet: „Neues Bohl", neue Gemeinde.

St. Clemens Church in Nebel was first mentioned in 1240. Nebel, situated in the center of Amrum, has retained its village character. However, its name has nothing to do with fog (the German word is "Nebel"). Nebel comes from "Neues Bohl", new community.

L'église St. Clemens à Nebel fut mentionnée pour la première fois en 1240. Nebel, situé au centre d'Amrum, a gardé son caractère villageois. Son nom n'a d'ailleurs rien à voir avec le brouillard: „Neues Bohl" veut dire nouvelle commune.

Sehenswert auf Amrum sind nicht nur die Kirche, der Kirchhof und die Windmühle von 1771. Sehenswert sind vor allem die kleinen typischen Friesenhäuser, die das Bild des schmucken Dorfes Nebel bestimmen. Es sind reetgedeckte Häuser, die von ihren Bewohnern sehr gepflegt werden.

Not only the church, the church courtyard and the windmill dating from 1771 are worth seeing on Amrum. There are also the small typical Frisian houses that characterize the lovely village of Nebel. They are thatched houses that are kept in good condition by their owners.

Sur Amrum il n'y a pas que l'église, le cimetière et le moulin à vent de 1771 qui soient remarquables, les typiques petites maisons frisonnes qui caractérisent le coquet village de Nebel méritent d'être vues, elles aussi. Ce sont des chaumières qui sont très bien entretenues par leurs habitants.

Wittdün ist der Benjamin unter den Orten auf Amrum. Es ist auch kein Dorf wie Nebel, Norddorf, Süddorf und Steenodde, sondern ein an der Südspitze der Insel im Jahre 1890 gegründeter Badeort. Dort beginnt der bis zu 1.500 Meter breite und sich entlang der Westküste der Insel erstreckende feinsandige Strand Kniepsand.

Wittdün is the baby among the towns and villages of Amrum. It is not a village like Nebel, Norddorf, Süddorf and Steenodde, but a seaside resort established on the southern tip of the island in 1890. Kniepsand beach, consisting of fine sand and stretching along the western coast of the island with a width of up to 1500 meters, begins there.

Wittdün est la localité la plus récente d'Amrum. Ce n'est pas, non plus, un village comme Nebel, Norddorf, Süddorf et Steenodde mais une station balnéaire créée en 1890 sur la pointe sud de l'île. Elle se trouve au commencement de la plage de Kniepsand qui atteint une largeur de 1500 mètres et qui s'étend le long de la côte ouest de l'île.

Der Leuchtturm auf Amrum, der zu den Hauptleuchttürmen an der schleswig-holsteinischen Nordseeküste gehört, wurde 1875 auf einer 25 Meter hohen Düne in Betrieb genommen. Er ist 68 Meter hoch. Sein Licht leuchtet in alle Richtungen. Der Turm kann bestiegen werden. In 60 Meter Höhe gibt es einen Rundbalkon. Allerdings führen etwa 300 Stufen hinauf.

The lighthouse on Amrum, which numbers among the main lighthouses on Schleswig-Holstein's North Sea coast, was set into operation on a 25-meter-high dune in 1875. It is 68 meters high and its light shines in all directions. One can climb up the tower and there is a round balcony at a height of 60 meters. Around 300 steps have to be overcome, however.

Le phare d'Amrum qui est l'un des principaux phares sur la côte ouest du Schleswig-Holstein, fut construit en 1875 sur une dune haute de 25 mètres. Il mesure 68 mètres. Sa lumière éclaire dans toutes les directions. L'on peut monter sur le sommet du phare. A 60 mètres il y a un balcon circulaire mais pour y parvenir il faut gravir quelques 300 marchcs.

Zurück aufs Festland – Nolde besuchen!

Leck, im Norden Schleswig-Holsteins gelegen, war im Hochmittelalter ein Hafen an der Leckerau. Das änderte sich im 15. Jahrhundert. Eindeichungen und Versandungen waren das Ende des Hafenplatzes. Fischerhäuser aus dem 18. Jahrhundert erinnern an die Zeit engerer Verbindung zum Wasser.

Leck, a town in northern Schleswig-Holstein, was a port on the Leckerau during the high Middle Ages. Diking and silting brought on the end of the harbor. Fishermen's houses from the 18th century recall the days of closer attachment to the water.

Leck, au nord du Schleswig-Holstein était, au haut Moyen Age, un port sur la Lockerau. Ceci changea au 15e siècle. La construction de digues et l'ensablement mirent fin aux activités portuaires. Les maisons de pêcheurs du 18e siècle rappellent l'époque où le contact avec la mer était plus étroit.

Süderlügum ist der nördlichste Ort an der Bundesstraße 5 vor der Grenze nach Dänemark – und ein kleiner Halt ist empfehlenswert: Denn die Kirche St. Maria mit ihren Ausmalungen aus dem 16. Jahrhundert und ihrem hölzernen Altaraufsatz von 1647 lädt zu einem Besuch ein. Die Kirche ist ein Backsteinbau aus dem 13. Jahrhundert mit einem freistehenden hölzernen Glockenhaus, das im 16./17. Jahrhundert gebaut und 1930 erneuert wurde.

Süderlügum is the northernmost town on Federal Road 5 before the border to Denmark - and a short stop is recommended: St. Maria Church with its painting work from the 16th century and its wooden altarpiece from 1647 is an enticing place for a visit. The church is a 13th-century brick edifice with a detached wooden belfry that was built in the 16th/17th century and renovated in 1930.

Süderlügum est la localité la plus septentrionale sur la route nationale 5, avant d'arriver á la frontière du Danemark. Il est recommandé d'y faire une petite halte: l'église St. Maria avec ses peintures du 16c siècle et sa décoration d'autel en bois, datant de 1647, mérite une visite. C'est un édifice de brique du 13e siècle avec un clocher détaché en bois qui fut construit aux 16 et 17e siècles et rénové en 1930.

Südlich von Süderlügum liegt Braderup mit einer sehenswerten Kirche. Es
ist ein frühgotischer Backsteinbau aus
dem 13. Jahrhundert. Unbedingt
besuchenswert aber ist das Nolde-
Museum in Seebüll. Der Maler Emil
Nolde (1867-1956), dessen Heimat das
Grenzgebiet war, hat das Haus nach
eigenen Entwürfen 1927 bauen lassen.
Es diente ihm als Atelier und Wohn-
haus.

South of Süderlügum lies Braderup
with a notable church. It is an early
Gothic brick structure from the 13th
century. In any case, you should not
miss a visit to the Nolde Museum in
Seebüll. The painter, Emil Nolde
(1867-1956), whose home was the
border region, had the house built
according to his own plans in 1927. It
served as his studio and home.

Au sud de Süderlügum se trouve
Braderup dont l'église est remarquable.
C'est un édifice de brique de style
gothique commençant, datant du 13
siècle. A Seebüll il ne faut absolument
pas manquer de visiter le musée
Nolde. Le peintre Emil Nolde (1867-
1956) qui était originaire du pays
frontalier, a fait construire cette maison
en 1927 d'après ses propes esquisses.
Elle lui servait de résidence et d'atelier.

Die große und die kleine Insel – Sylt und Helgoland

Sylt, die größte deutsche Nordseeinsel, besteht nicht nur aus Westerland mit seinen Bettenburgen. Sylt das sind die kleinen Orte wie Keitum oder auch Morsum, deren Bild geprägt wird von Friesenhäusern mit ihren bunten Bauerngärten. In Morsum steht auch die Kirche St. Martin, ein schlichter Bau aus dem 13. Jahrhundert, zu dem ein offener hölzerner Glockenturm gehört, der 1931/32 erneuert wurde.

Sylt, the largest German North Sea island, not only consists of Westerland and its large complexes for visitors. Sylt is also the small towns like Keitum and Morsum, whose appearance is characterized by Frisian houses with their colorful country gardens. In Morsum you can also see St. Martin Church, a plain edifice dating from the 13th century that includes an open wooden belfry which was renovated in 1931/32.

Sylt, la plus grande des îles allemandes de la mer du Nord, ce n'est pas seulement Westerland avec ses mastodontes de béton pour dormir. Sylt, c'est aussi les petites localités comme Keitum et Morsum avec leurs maisons frisonnes et leurs jardins paysans multicolores. A Morsum de dresse aussi l'église St. Martin, un sobre édifice du 13e siècle doté d'un clocher de bois ouvert, rénové en 1931/32.

Vor Westerland, das noch vor hundert Jahren aus einfachen Fischerhäusern bestand, breitet sich der Sandstrand mit der Promenade aus. In den Strandkörben genießen Feriengäste die Sonne. Dic Promenade lädt zu einem Spaziergang ein, und – die dicke Wilhelmine nimmt ihr Bad am Eingang der Friedrichstraße, wo man sich zu einem Schaufensterbummel und zu Kaffee und Kuchen trifft.

A sandy beach with a promenade stretches out in front of Westerland, which still consisted of simple fishermen's houses a hundred years ago. Vacationers enjoy the sun in the wicker beach chairs. The promenade is an inviting place for a walk, and "Big Wilhelmine" takes her bath at the Friedrichstrasse entrance, where people meet for window shopping and for coffee and cake.

Devant Westerland qui, il y a cent ans, n'était qu'un simple village de pêcheur, s'étendent la plage et la promenade. Les vacanciers y jouissent du soleil dans leur guérite de plage. La promenade invite à faire un tour et – la „grosse Wilhelmine" prend son bain à l'entrée de la Friedrichstraße où l'on se rencontre pour se balader en ville ou se payer café et gâteaux.

Im Süden von Kampen, dessen Bild – wie das von Keitum – von Reetdach-häusern beherrscht wird, steht ein schwarz-weißer Leuchtturm, der nicht nur der Schiffahrt dient, sondern auch Inselwanderer ein markanter Orientie-rungspunkt ist. Der Kampener Leucht-turm ist der älteste auf Sylt. Er heißt Rote-Kliff-Feuer, wird im Volksmund „Christian" genannt und wurde 1855 gebaut.

In the southern part of Kampen, which – like Keitum – is dominated by thatched houses, there is a black-and-white lighthouse that not only shows ships the way, but is also a prominent orientation point for island hikers. Kampen's lighthouse is the oldest on Sylt. It is called "Rote-Kliff-Feuer", is popularly known as "Christian" and was built in 1855.

Au sud de Kampen, localité caractéri-sée comme Keitum par les maisons au toit de roseaux, se dresse un phare noir et blanc qui n'est pas seulement utile à la navigation mais sert aussi de point de repère aux randonneurs de l'île. Le phare de Kampen est le plus vieux de Sylt. Il s'appelle Feu de la Falaise Rouge et dans le langage populaire „Christian", il fut construit en 1855.

Das Rote Kliff, eine 30 Meter hohe Steilküste zwischen Wenningstedt und Kampen, steht seit 1979 unter Naturschutz. Das Kliff ist Kleinod und Sorgenkind der Insel zugleich. Kleinod, weil es eine einzigartige Sehenswürdigkeit ist. Sorgenkind, weil die Nordsee immer wieder große Stücke aus dem Kliff herausreißt. Manches Haus auf dem Kliff ging dabei verloren, Bauten mußten zurückverlegt und Badeanlagen erneuert werden.

"Rote Kliff" (Red Cliff), a 30-meter-high section of the steep coast between Wenningstedt and Kampen, has been a nature reserve since 1979. The cliff is a gem and a source of concern for the island at the same time. A gem because it is a unique sight – a source of concern because the North Sea constantly tears away large pieces of the cliff. Some houses on the cliff have been lost in this process, other structures had to be relocated and swimming and bathing facilities rehabilitated.

La Falaise Rouge, une côte escarpée de 30 mètres entre Wenningstedt et Kampen est classée site naturel protégé depuis 1979. La falaise est à la fois le joyau et „l'enfant à problèmes" de l'île. Joyau parce que c'est une curiosité unique en son genre et source de soucis parce que la mer arrache canstamment de gros morceaux de falaise. Plusieurs maisons furent ainsi détruites, des édifices durent être reconstruits plus loin et les facilités balnéaires renouvelées.

Der Lister Ellenbogen, das nördlichste Naturschutzgebiet Deutschlands, ist mit Sylt durch ein paar niedrige Dünen verbunden. Diese Verbindung riß im Jahre 1928 bei einer schweren Sturmflut. Die Lücke wurde mit Strandhafer geschlossen. Das Meer nimmt dem Ellenbogen im Westen ständig Land, um es im Osten wieder dranzuflicken, so daß sich die Ellenbogenspitze unaufhaltsam zum Festland hin schiebt.

Lister Ellenbogen, the northernmost nature reserve in Germany, is connected to Sylt by a couple of low dunes. This connection collapsed during a severe storm tide in 1928. The gap was bridged with marram grass. The land that the sea takes away in the west is added on again in the east so that the tip of Ellenbogen is inexorably shifting towards the mainland.

Lister Ellenbogen, le site préservé le plus septentrional d'Allemagne, est relié à Sylt par un cordon de dunes basses. En 1928 il fut rompu par un sévère raz-de-marée. La brêche fut bouchée avec l'élyme des sables. Inlassablement la mer enlève de la terre à l'ouest pour la redéposer à l'est de sorte que la pointe de L'Ellenbogen se déplace toujours un peu plus vers la terre ferme.

Einer der lustigsten und kulinarisch-sten Plätze auf Sylt befindet sich im Lister Hafen. Dort trifft man sich beim Hafen-Imbiß, der an Jahrmarktsbuden erinnert, zu einem Glas Wein, zu Fisch oder auch zu Sylter Austern. Sylter Austern, die als Sylter Royal auf den Austernbänken vor der Insel geerntet werden, wurden schon im 19. Jahrhundert am Hofe des dänischen Königs wegen ihres reinen Geschmacks sehr geschätzt.

One of the most amusing and culinary-inclined places on Sylt is in List's harbor. There people meet at the harbor snack bar, which resembles a fairground booth, for a glass of wine, fish or Sylt oysters, which are called Sylter Royal. These oysters are harvested in the oyster banks off the island coast and were highly appreciated for their pure taste at the court of the Danish king back in the 19th century.

Dans le port de List il y a un casse-croûte qui est l'un des lieux les plus amusants et les plus gastronomiques de Sylt. Il ressemble à une baraque de fête foraine et on s'y retrouve pour boire un verre de vin, manger du poisson ou des huîtres de Sylt, les „Sylter Royal". Elle sont récoltées sur les bancs d'huîtres devant l'île et étaient déjà très appréciées au 19e siècle, à la cour du roi de Danemark, pour leur goût exquis.

Im Lister Hafen legen die Fähren nach der dänischen Nachbarinsel Rømø an. Darüberhinaus machen in dem nördlichsten deutschen Hafen auch Fischkutter und Sportboote fest. Der Hafen ist nicht mit dem Lister Königshafen zu verwechseln, von dem aus der Dänen-König Christian IV. im Jahre 1644 seine Schiffe befehligte, die eine vereinigte schwedisch-holländische Kriegsflotte besiegte. Der Königshafen ist heute versandet.

The ferries to the neighboring Danish island of Rømø dock in List's harbor, where fishing cutters and sporting boats also make fast in the northernmost German port. The harbor should not be confused with List's Königshafen, from where in 1644 the Danish king, Christian IV, commanded his ships, which defeated a combined Swedish-Dutch fleet. Königshafen has, in the meantime, silted up.

Les ferries qui se rendent à l'île voisine de Rømø accostent au port de List. C'est le port le plus septentrional d'Allemagne et il accueille, en outre, des bateaux de plaisance et des chalutiers. Il ne doit pas être confondu avec Königshafen d'où partirent les vaisseaux du roi de Danemark, Christian IV, en 1644, pour lutter contre la flotte alliée des Suédois et des Hollandais qui furent vaincus. Königshafen est aujourd'hui ensablé.

Helgoland, einsam in der Deutschen Bucht gelegen, war bis 1890 englisch. Der rote Felsen, zu dem eine Badedüne mit Flughafen gehört, ist ein Paradies für Seevögel. Möwen umkreisen die „Lange Anna", Wahrzeichen dieser kleinen Insel, wo auch Lummen und Baßtölpel ihre Kinderstube haben.

Helgoland, all alone in the German Bight, was English until 1890. The red cliffs, which include a seaside dune with an airport, is a paradise for sea birds. Seagulls circle around "Lange Anna", the landmark of this small island, where guillemots and gannets also grow up.

Helgoland, solitaire dans la baie Allemande, était anglaise jusqu'en 1890. Le rocher rouge qui comprend aussi une dune où l'on se baigne et un aéroport, est un paradis pour les oiseaux. Les mouettes encerclent la „Lange Anna", emblème de cette petite île où les guillemots et les fous de Bassan naissent et grandissent.